La collection « Ado »
est dirigée par Michel Lavoie

La cible humaine

L'auteure

Anne Prud'homme, née à Hull en 1980, manifeste une passion pour l'écriture depuis son jeune âge. Ses études collégiales lui ont insufflé la fièvre du cinéma et de l'écriture de scénarios. Munie d'yeux capteurs d'images percutantes, d'un cœur éloquent, de mots savoureux et d'un esprit rêveur, créateur et artistique, Anne termine en 2002 un baccalauréat en communication à l'Université d'Ottawa. Elle a remporté l'édition 1998 du prix littéraire jeunesse Vents d'Ouest grâce à son roman *Frayeurs d'Halloween*.

Bibliographie

Frayeurs d'Halloween, Hull, Vents d'Ouest, « Ado » n° 19, 1998.

ROMAN ADO | AVENTURE

Anne Prud'homme
La cible humaine

nts d'Ouest

Données de catalogage avant publication (Canada)

Prud'homme, Anne, 1980-

La cible humaine

(Roman ado ; 43. Aventure)

ISBN 2-89537-051-6

I. Titre. II. Collection: Roman ado ; 43. III. Collection:
Roman ado. Aventure.

PS8581.R817C52 2002   jC843'.54   C2002-940848-2
PS9581.R817C52 2002
PZ23.P78Ci 2002

Nous remercions le Conseil des Arts du Canada de l'aide
accordée à notre programme de publication. Nous recon-
naissons l'aide financière du gouvernement du Canada par
l'entremise du Programme d'Aide au Développement de
l'Industrie de l'Édition (PADIÉ) pour nos activités d'édition.
Nous remercions également la Société de développement des
entreprises culturelles ainsi que la Ville de Gatineau.

Dépôt légal — Bibliothèque nationale du Québec, 2002
                Bibliothèque nationale du Canada, 2002

Révision : Raymond Savard
Correction d'épreuves : Renée Labat
Infographie : Christian Quesnel

Éditions Vents d'Ouest
185, rue Eddy
Hull (Québec) J8X 2X2
Téléphone :   (819) 770-6377
Télécopieur :   (819) 770-0559
Courriel :   ventsoue@ca.inter.net

Diffusion Canada : PROLOGUE INC.
Téléphone :   (450) 434-0306
Télécopieur :   (450) 434-2627

Chapitre premier

Le jeu d'enquête

S PLOUCH! Maxime Bilodeau redescend sur terre, les deux pieds dans une flaque d'eau. Une fois de plus, son imagination l'a plongé au cœur d'un nouveau scénario. S'étant ressaisi, il examine son soulier détrempé. Haussant les épaules, il reprend son chemin dans le parc Desneiges.

La pluie tombée en après-midi a laissé un brouillard opaque. C'est sans espoir ! La petite fête extérieure prévue avec les copains tombe à l'eau. Eh oui ! Un autre vendredi soir à tenter vainement de mettre un peu de piquant dans sa vie. Comble de l'ennui, sa copine Sophie passe la fin de semaine loin de la ville. Que faire ? Visionner le film policier le plus récent en compagnie de ses amis ? Encore une fois.

Passe-temps classique d'un vendredi soir pluvieux !

Mais les films relèvent de la pure fiction. On dirait que Maxime doit s'imprégner de cette fiction pour vivre pleinement. Il donnerait cher pour personnifier dans la réalité quotidienne le héros d'un scénario d'aventures. Oh oui ! Délaisser le rôle de spectateur pour se glisser de façon permanente dans la peau d'un personnage mystérieux. Si un vœu lui était accordé par un lutin – encore un être fictif ! – il en serait ainsi.

Le jeune homme perçoit des gouttelettes de pluie sur son visage. Inutile de se presser ; en cette fin de printemps, la fraîcheur l'apaise et clarifie ses idées. Le temps d'une respiration, il arrive à faire le vide en lui, à rétablir un semblant d'équilibre entre l'imaginaire et la réalité. Mais c'est un bien piètre rempart. Immanquablement, ses yeux se voilent d'un filtre anti-réalité. Et s'enclenchent les illusions au moindre stimulus. Les enfants qui s'amusent sur les balançoires sont peut-être des extraterrestres. Ce vieux monsieur assis n'est pas vraiment vieux ; il porte un masque plissé. La voiture noire stationnée est certainement le repaire de mafiosi.

Pourtant, Maxime sait pertinemment que toutes ses pensées sont des fabulations. C'est plus fort que lui, il est habité d'une imagination débordante.

La pluie semble s'arrêter de nouveau. Par contre, de sombres nuages persistent, prophètes d'une fin de semaine fade. Soudain, un gros corbeau survole Maxime tellement bas qu'il doit reculer pour l'éviter. Son pied glisse sur l'herbe humide et il bascule dans une flaque de boue. Une autre tache sur son vieux manteau rouge. L'oiseau responsable de la scène s'éloigne en croassant, comme s'il se moquait de la chute de sa victime. Maxime met quelques secondes à se relever, en souhaitant que sa bévue passe inaperçue.

Comme il s'apprête à reprendre son chemin, il aperçoit un bout de papier flottant sur l'eau vaseuse. Il le ramasse et l'assèche du mieux qu'il peut avec ses doigts. Même décoloré, il pique rapidement sa curiosité.

Mystère...
Aventure...
Sensations fortes...

Ça vous intéresse ?

Notre agence est présentement à la recherche de candidats pour participer à un fabuleux jeu d'enquête. Satisfaction garantie ! À gagner : une bourse de 10 000 $.

Pour de plus amples renseignements, veuillez composer le 954-1348.

Date limite d'inscription : le vendredi 23 avril, 16 heures 30.

Maxime relit le message. Fascinant! Un jeu d'enquête grâce auquel il pourrait récolter 10 000 $? Ça doit certainement être un piège. Soupçonneux, il jette un regard autour de lui, prêt à voir surgir ses amis de leur cachette. Ils connaissent bien sa soif d'aventures et lui ont joué un sale tour. Pourtant, personne, pas même le faux vieillard toujours assis plus loin dans le parc, ne lui porte la moindre attention.

Alors, un vent d'espoir se lève en lui. Ce jeu d'enquête est l'occasion rêvée de jouer au détective! Il pourrait créer sa propre fiction. Une fiction qui dépasserait tout ce dont il a rêvé en secret.

Ayant oublié les taches de boue sur ses vêtements, il reprend sa route d'un pas alerte. Il pense aller informer ses amis du fameux jeu, puis y renonce. Taire l'existence du concours, même à sa copine Sophie, y ajouterait une touche énigmatique. Secrètement, il mènerait sa petite enquête, comme un vrai professionnel. Après tout, Sophie a bien un secret, elle aussi. Après quatre mois de fréquentation, elle n'a toujours pas avoué à ses parents qu'elle sort avec un garçon.

Tout fougueux, il relit la publicité. Un détail inaperçu lui saute maintenant aux yeux : c'est aujourd'hui même la date limite pour s'inscrire! Sa montre indique 16 heures 15. Il s'empresse de repêcher un vingt-cinq cents au fond de la poche de son jean. En bordure du parc se trouve une cabine téléphonique.

Il porte à ses yeux l'affiche humide. Il enfonce la pièce de monnaie dans la fente de l'appareil, puis compose le numéro indiqué. Après quelques secondes, sa patience se métamorphose en doute. Et si toute cette histoire était un canular ? Cette crainte consume ses espoirs. Voguant dans la déception, il n'entend pas tout de suite la voix éraillée qui répond à l'autre bout du fil :

— Agence Mirage, bonjour !

— …

— Oui, que puis-je pour vous ?

Tiré du néant, Maxime toussote, puis bredouille :

— Oui, bonjour… euh… j'appelle pour le… le jeu d'enquête, c'est ça ?

— Oui, c'est bien ici.

— J'ai vu votre publicité. Le concept m'intrigue. Est-ce qu'il y a des critères précis pour participer au jeu ?

— Un seul : vous devez être prêt à vivre l'expérience la plus intense de votre vie ! lance l'interlocuteur sur un ton enthousiaste.

— Eh bien, je suis qualifié ! C'est quoi le jeu, exactement ?

— Je peux vous donner un rendez-vous si vous le désirez ; on vous l'expliquera en détail. Comment vous appelez-vous ?

— Maxime Bilodeau.

— Demain matin, 8 heures, ça vous convient ?

— Votre agence est ouverte le samedi ?

– Notre agence est TOUJOURS ouverte.

– D'accord. Et votre adresse ?

– 328, rue de l'Équivoque. La porte arrière.

Il extirpe un stylo de son sac et note rapidement l'adresse dans sa paume.

– Parfait, je serai là sans faute. À 8 heures
précises.

– Vous devez nous apporter une photo
récente. C'est obligatoire pour l'inscription.

Une photo pour participer à un jeu d'aventures ? Il est intrigué, mais garde ses questions
en réserve pour le lendemain.

– Oh ! vous l'ai-je mentionné ? Il y a des
frais de service de 100 $ en argent comptant.

100 $! Bof, ses économies le lui permet-
tent. C'est de l'argent bien investi pour enfin
plonger dans l'aventure !

– Très bien.

– Au revoir, Monsieur Bilodeau. Et à
bientôt.

Il raccroche et plie le feuillet pour l'enfoncer dans la poche de son pantalon. La pluie a
repris doucement. Tout au long du trajet
jusque chez lui, il tient le poing serré pour
éviter que la précieuse adresse ne s'efface au
contact de l'eau.

Enfin arrivé à la maison, il s'empresse
d'enlever ses espadrilles imbibées d'eau. Son
manteau atterrit sur le coin de la rampe
d'escaliers. Il secoue ses cheveux puis agrippe
un bout de papier traînant près du téléphone.

Il y inscrit : 328, rue de l'Équivoque. Porte arrière. 8 heures. 100 $. Photo. Au fait, possède-t-il une photo récente ?

Il monte à sa chambre, se fraye un chemin entre les vêtements qui traînent sur le plancher. Dans sa garde-robe traîne une boîte où dorment plusieurs souvenirs : trophées et médailles de soccer, certificats d'excellence scolaire, moitiés de billets de concert rock, lettres d'amis et d'anciennes amourettes, cartes de son dix-septième anniversaire, et plein d'autres trucs. Il y déniche une enveloppe remplie de photos. Aussitôt, il les étale partout sur le tapis. Hélas, ce désordre est inutile ; elles datent toutes de quelques années. D'un geste rapide, il ramasse les photos et les laisse tomber pêle-mêle dans la boîte, qu'il pousse plus loin de son pied. Il retire alors son chandail humide, le lance au hasard dans la pièce et en ramasse un autre : un vieux, bleu poudre à rayures mauves. Pas très à la mode, mais au moins il est sec.

Il descend l'escalier à toute vitesse en enfilant son chandail, met ses chaussures suintantes et son manteau rouge encore détrempé, et sort en prenant soin d'apporter un parapluie. Il se dirige vers le centre commercial pour se faire photographier dans une petite cabine au rideau jaune. Avant de revenir chez lui, il passe au guichet automatique et effectue un dernier arrêt au club vidéo.

Samedi, 7 heures. Bip ! Bip ! Bip ! Maxime s'empresse de couper la sonnerie du réveille-matin. Motivé par son rendez-vous à l'agence, il se prépare en peu de temps. Dans la cuisine, Janie, sa sœur de douze ans, mange des rôties ; sa mère Ghislaine sirote un café. Elles lèvent toutes deux la tête à son arrivée en flèche.

– Bonjour mon grand, l'accueille sa mère. Tu as bien dormi ?

Il fait un signe affirmatif en se servant un bol de céréales.

– Pressé, ce matin ! Tu fais quelque chose de spécial ?

– Non, ment-il à demi, juste de la bicyclette. Je déborde d'énergie !

Espiègle, Janie formule sa propre hypothèse :

– Il va aller rejoindre sa blonde en cachette !

Son frère lui décoche sa plus belle grimace.

– Eh ! vous deux, ne commencez pas la journée comme ça ! riposte la mère.

Maxime mange en vitesse, puis dépose son bol sur le comptoir. Sur son élan de départ, il est retenu.

– Ton bol !

Il revient sur ses pas et le dépose dans le lave-vaisselle avant de s'esquiver. Enfin à l'extérieur, il enfourche sa bicyclette. De ses jambes athlétiques, il se met à pédaler à travers la ville embrumée, jusqu'à la rue de l'Équivoque, jusqu'au numéro 328. Il cadenasse son vélo devant l'édifice à l'allure résidentielle. Il jette un regard à sa montre : 7 heures 58.

Comme on le lui a indiqué au téléphone, il se dirige vers la porte arrière. Trois coups, et la porte s'ouvre sur un homme à la calvitie avancée, vêtu d'un complet noir.

– Maxime Bilodeau ?

– Oui, c'est moi.

L'homme l'invite à entrer dans le bureau, qui est en fait une pièce étroite ; une porte orne le mur du fond. Un deuxième individu plus corpulent prend place derrière un bureau. On lui demande de s'asseoir. Légèrement mal à l'aise, le jeune homme a l'impression d'être le troisième rouage dans un scénario hollywoodien. Ne leur manquant plus que les lunettes fumées, ces deux types devant lui se veulent de fidèles disciples des *Hommes en noir*. Belle mise en scène…

– Monsieur Bilodeau, commence le chauve, vous avez de la chance : vous êtes le dernier candidat admis à notre jeu, la date d'échéance étant hier.

– Eh bien ! Comme on dit, les derniers seront les premiers. Vous avez recruté plusieurs participants ?

Son collègue corpulent s'empresse de répondre à la question.

– C'est un détail qu'on garde secret. Cela fait partie des règles du jeu.

– Et quelles sont ces règles ?

– Commençons par le début, dit le chauve. Vous avez l'argent et la photo ?

Il retire le tout de la poche arrière de son jean et le lui tend. L'homme ouvre un tiroir du bureau, y dépose l'argent et en sort un porte-documents. La photo y est insérée, puis on lui en remet une autre : celle d'une charmante jeune brunette aux yeux bleu clair. Maxime ne peut s'empêcher de sourire. Est-ce cette jolie ennemie qui deviendra son amante à la fin du jeu, comme dans les films de James Bond ? Il jette un regard inquisiteur vers les responsables du jeu.

– Son nom est Alexia Dumouchel, dit le plus dodu. C'est votre cible.

– Ma cible ?

– Oui, vous avez bien compris. Chaque participant reçoit la photo d'un autre concurrent. Le jeu consiste à retracer cette personne. Les seules informations qu'on vous fournit viennent de vous être divulguées : son portrait et son nom. Pour ce qui est du reste, c'est à vous de jouer. Impressionnez-nous avec vos talents de détective !

Le concept s'avère intéressant. Maxime tente d'anticiper la suite.

– Vous nous accordez des points pour nos prouesses, et celui qui a le plus grand nombre de points gagne ?

Le chauve se charge de le corriger.

– Non, pas du tout. Laissez-nous vous expliquer. Premièrement, les participants doivent garder sur eux en tout temps la photo de leur cible ; vous devez respecter cette règle élémentaire. Lorsque vous aurez attrapé cette Alexia, vous devrez partir à la recherche de la cible qu'Alexia n'aura évidemment pas eu le temps de trouver, et ainsi de suite. Vous pigez ?

– Oui, mais qu'est-ce que vous voulez dire au juste par attraper la cible ?

Le chauve ouvre un deuxième tiroir et tend un petit objet au nouveau candidat.

– Tenez, voici votre arme. Attention : elle doit servir uniquement pour vos cibles, c'est bien compris ? Votre mission doit se dérouler dans la plus grande discrétion. Ainsi, il vaut mieux surprendre votre victime pour parvenir à lui infliger la marque. Ceci constitue la preuve absolue que cette personne est bien éliminée du jeu.

Le jeune homme examine l'objet qu'on lui a remis : un tampon encreur au motif assez particulier. L'estampille – d'un style abstrait – représente un oiseau de proie. La tête de la bête est dessinée de profil. Son corps démesurément frêle suit une courbe en S inversé et s'amincit de plus en plus pour se terminer par une fine ligne courbe. Suivant une diagonale, les ailes entrouvertes croisent le corps de l'animal de façon presque perpendiculaire. L'œil de l'oiseau, pourtant si minuscule sur le croquis, a un air menaçant. En songeant à ce signe qui marquera les participants éliminés, Maxime ne peut s'empêcher de penser tout haut :

– C'est comme la lettre écarlate qu'on imposait jadis aux condamnés.

– Je constate que vous avez bien saisi l'essence de notre jeu, dit l'homme corpulent en laissant échapper un petit rire narquois.

– Et sur quel endroit du corps dois-je marquer ma cible ?

– À n'importe quel endroit visible sur la peau. L'encre que nous vous fournissons est partiellement indélébile ; la marque devrait paraître pendant environ trente jours. Nous examinerons donc chaque mois les candidats. Aucune période limite n'est fixée pour mener le jeu à terme. Petit à petit, le nombre de participants diminuera jusqu'à ce qu'il n'en reste plus que deux, qui auront nécessairement l'un et l'autre comme cible. Alors, le plus rusé l'emportera.

– Mais comment savoir si tous les participants sont éliminés sauf moi ?

– C'est bien simple, dit le chauve. Vous saurez que vous gagnez la partie lorsque vous trouverez votre propre photo sur votre dernière cible.

– Oui, c'est logique !

– N'oubliez pas que le jeu se déroule de façon continue, vingt-quatre heures sur vingt-quatre, sept jours sur sept. Vous n'aurez aucun répit. Alors soyez bien conscient : vous devrez être constamment sur vos gardes.

— Je ne demande pas mieux !

Les deux hommes s'échangent un regard qui en dit long.

— Ne vous réjouissez pas trop vite. La partie n'est pas gagnée d'avance.

— Oui, mais pour 10 000 $!

— Ah ! le pouvoir de l'argent ! Eh bien, avant de conclure notre entretien, avez-vous d'autres questions ?

— Juste une petite clarification : le gagnant communique avec vous par téléphone ?

— C'est bien ça. Et pour la vérification mensuelle des marques, nous vous contacterons.

Le chauve sort une feuille de son dossier. Maxime a le temps d'y entrevoir une liste avant que l'homme la dissimule. Il lui demande son numéro de téléphone, puis l'assure sur un ton autoritaire que cette liste demeurera strictement confidentielle. Les renseignements bien notés, il ferme le porte-documents et le range dans le tiroir.

— Voici donc, en résumé, les règles du jeu à ne jamais transgresser ! Un : gardez toujours la photo de votre cible sur vous. Deux : votre cible est officiellement éliminée dès que vous lui avez infligé la marque avec votre arme. Trois : si vous surprenez un participant qui tente de vous éliminer, vous ne pouvez pas vous-même l'éliminer, sinon le jeu ne fonctionnera plus. La seule option est de tenter de l'éviter. Autrement dit, vous avez le droit d'éliminer seulement la cible dont vous détenez la photo. Quatre : jamais au grand jamais vous ne pourrez abandonner le jeu, sauf si vous êtes éliminé, bien sûr. Cinq : tous les moyens dont vous disposerez pour retracer votre cible sont légitimes. Soyez créatif.

– C'est parfait, affirme Maxime en guise d'engagement.

Les deux hommes se lèvent et tour à tour lui tendent la main.

– Voici notre carte de visite sur laquelle se trouve notre numéro de téléphone. Bonne chance. Avant de partir, je vous rappelle que le jeu d'enquête doit demeurer secret.

– Le jeu débutera aujourd'hui à minuit précisément. Pas une minute avant. Entendu ?

– Parfaitement. Merci à vous, messieurs.

– Oh ! à votre place, je ne nous remercierais pas tant…

Maxime quitte le bureau. Un double sentiment d'excitation et de perplexité l'habite. Vraiment bizarres, ces deux personnages. Malgré tout, le concept du jeu d'enquête l'a agréablement surpris. En effet, cette histoire réussira sûrement à épicer quelque peu les prochaines semaines, voire les prochains mois.

Il enfourche sa bicyclette et roule vers le parc Desneiges. Il s'arrête pour s'asseoir au pied d'un arbre. Dans sa tête mijote déjà un plan d'attaque.

Chapitre II

C'est parti !

MINUIT.
Officiellement, le jeu d'enquête débute. Maxime est alerte. Stratégie en tête, il se lève d'un bond pour aller chercher le bottin et regagne sa chambre. Sous la lueur d'une lampe, ses doigts courent sur les pages.

Filion... non... Ellis... pas encore... Dagenais, oups ! On revient... Delisle... Dorion... Dub... Dum... Dumouchel !

Oh ! la liste est longue !

Il regrette aussitôt son soupir de découragement. Après tout, cette méthode pourrait s'avérer fructueuse. À la première heure demain matin, à l'abri des oreilles indiscrètes, il vérifiera quelques numéros.

※

La nuit porte conseil ; elle a insufflé à Maxime une petite mise en scène. En prime, quelques scénarios au cas où son plan déraillerait. Il prend le téléphone et enclenche son enquête. Quelques coups résonnent dans l'appareil.

— Allô ! s'exclame une voix rauque.

Premièrement : créer un climat de confiance.

— Excusez-moi de vous déranger, mon cher monsieur, voulez-vous me passer Alexia ?

— Qui ?

Deuxièmement : rester maître de la situation.

— J'aimerais parler à Alexia Dumouchel, s'il vous plaît.

— J'pense pas que tu vas la trouver ici, mon p'tit gars.

Troisièmement : garder un langage courtois.

— Alors vous seriez bien aimable de me dire où je pourrais la rejoindre, monsieur.

— J'aimerais ben ça, mon p'tit gars, mais j'la connais pas. J'vis tout seul dans mon vieil appartement, depuis que mon brave p'tit chien Bouboule s'est fait écraser par un camion, gémit le vieil homme. Il faisait tellement pitié, le pauvre… C'est affreux, un accident pareil !

Maxime se crispe ; cet élan de confidence n'était pas prévu dans le scénario original.

— Je vous comprends et je m'excuse de vous avoir dérangé, monsieur.

– Ça m'a fait du bien de parler à quel-qu'un. Bonjour !

Décidément, la tâche sera ardue. Il compose le deuxième numéro de la liste : pas d'Alexia. Même histoire pour les suivants. Au fur et à mesure, il coche les numéros infructueux. Après être tombé sur plusieurs personnes aux humeurs diverses, il reste soudain surpris par la jeune voix féminine qui lui parvient à l'oreille.

– Bonjour ! C'est Alexia ?

– Qui est à l'appareil ?

Il perçoit une certaine retenue dans la voix. Craint-elle quelque chose ?

– Je m'appelle Maxime Bilodeau. J'ai trouvé dans la rue une carte scolaire avec tes coordonnées et ta photo. Alors, j'ai pensé te téléphoner pour que tu puisses la récupérer. Tu t'appelles bien Alexia Dumouchel ?

Après une brève hésitation, elle répond par l'affirmative.

– Si je peux me fier à la photo, tu as les cheveux bruns, assez longs, et les yeux bleu clair, c'est bien ça ?

– Oui…

– Et tu demeures au 218, des Rossignols ?

– C'est exact… On dirait que c'est bien ma carte.

Maxime ne peut s'empêcher de sourire.

– Bon, je vais aller te la rendre, disons dans dix minutes ?

– Oui, merci, ce serait gentil.

– À tout de suite !

Il raccroche. Première cible : retrouvée ! Fin de la scène I du scénario. C'est trop facile ! Pourvu qu'elle ne prenne pas la peine de vérifier si la carte est réellement manquante.

Il enfonce le tampon encreur dans la poche de son pantalon, fait de même avec la photo, et descend promptement. Un vent de malice le pousse vers sa première cible.

218, des Rossignols, et le voilà ! Il sonne.

La porte s'ouvre sur une jeune fille. Hourra ! c'est la même que sur la photo qu'on lui a remise.

– Alexia ?

– Oui. C'est toi qui as ma carte ?

– Oui ! Juste ici…

Il glisse innocemment la main dans sa poche puis fait un geste précipité vers elle. Elle n'a même pas le temps de contre-attaquer ; la marque fraîchement imprimée sur sa main lui indique son élimination du jeu d'enquête. Maxime exhibe sa satisfaction, au grand dam d'Alexia Dumouchel. Tombée dans le piège, elle se sent tellement sotte !

– Vraiment nulle… rage-t-elle. Ça fait même pas une journée que le jeu est commencé, et puis bang ! je me fais avoir comme une pauvre dinde.

– Désolé pour toi, ma chère Alexia, mais le jeu, c'est le jeu ! À moi les 10 000 $!

Sourire moqueur aux lèvres, il réclame à Alexia la photo de sa cible. Elle la retire de la poche arrière de son jean et la lui lance pratiquement à la figure en maugréant :

– Bonne chance quand même…

La porte se referme aussitôt sur le jeune participant. En marchant vers sa bicyclette, il jette un coup d'œil à la photo du nouveau concurrent à éliminer, plutôt de la nouvelle concurrente à éliminer : Maryse Picard, une brunette aux yeux noisette. Elle a sensiblement le même âge que lui. Joli minois, se dit-il.

Combien d'autres participants lui faudra-t-il éliminer avant de récupérer sa propre photo ? Cinq ? Dix ? Vingt ? S'ils sont tous aussi dupes que sa première victime, il gagnera la partie haut la main.

Deuxième mission : retracer Maryse Picard.

Tout de suite, il met une croix sur la méthode du bottin. Elle a été efficace, certes, mais surtout fastidieuse. Il faut trouver une nouvelle stratégie qui réussisse rapidement.

Il reprend la route sur sa bicyclette. Tout en roulant, il songe à la liste de l'agence comportant les noms et numéros de téléphone de tous les participants. S'il pouvait mettre la main sur cette liste, son enquête deviendrait un véritable jeu d'enfant.

Maxime décide de tenter le tout pour le tout. Après avoir bifurqué vers des rues transversales, il prend soin de garer son vélo en retrait du bureau de l'agence. Il s'approche de la porte par où il est entré la veille. Rasant le mur comme les agents secrets dans *Mission : impossible*, il jette un coup d'œil par la petite fenêtre ; les recoins de la pièce sont inaccessibles à son regard. Soudain, un homme passe en vitesse, tourne la poignée de la porte au fond du bureau et s'y engouffre.

Où mène cette porte ? L'homme reviendra-t-il bientôt ? Une montée d'adrénaline pousse le jeune participant à ouvrir discrètement la porte d'entrée. Le voilà à l'intérieur. Vite ! le tiroir ! Il ne s'ouvre pas. Verrouillé. Il essaie celui du dessous. Rien à faire. Un éclat de voix ! Des pas...

Il a le réflexe de déguerpir, mais une voix s'élève :

— Pas question ! Ça l'achèverait tout de suite. On ne peut pas la laisser aller comme ça, pas dans son état. Ce serait trop risqué. Beaucoup trop risqué. Diminuez graduellement la dose, et notez bien vos observations. Dès que je finis ici, j'irai constater la situation moi-même. Non, non, reprend-il après une petite pause. Attendez que j'arrive pour ça. Ça ne devrait pas tarder.

Les bruits de pas résonnent de nouveau. Cette fois, le jeune intrus prend la poudre d'escampette. Pas question de se faire pincer et de dire adieu aux 10 000 $!

En moins de deux, il repart à califourchon sur sa bicyclette. Les propos du chauve – c'était bel et bien sa voix éraillée – remontent à sa mémoire. *Diminuez graduellement la dose, notez bien les observations.* Hypothèse : cet homme est médecin et parlait à une infirmière au sujet d'une patiente. C'est plausible. Organiser le jeu d'enquête ne doit sûrement pas être son emploi à temps plein. Mais encore, le ton de l'homme semblait drôlement impatient. Très autoritaire, même. Et ses propos, très équivoques. *On ne peut pas la laisser aller* [...]. *Ce serait trop risqué.* Comme s'il avait peur de la laisser sortir. Peur non pas pour la patiente, mais pour lui-même. Comme s'il se livrait à une activité illégale. Peut-être le trafic d'organes, ou même le trafic de bébés.

Maxime se sent plongé en plein roman d'aventures, avec tous les dangers que cela comporte. Loin de l'angoisser, cette idée le revigore.

Il arrive à la maison. Son prochain objectif : Maryse Picard. Il y a fort à parier qu'elle ne mordra pas à l'histoire de la carte perdue. En y repensant, il est presque étonné d'avoir réussi avec sa première cible. Dorénavant, il devra être plus ingénieux.

Après un long moment, comme aucune nouvelle stratégie n'est élaborée, il décide de prendre congé du jeu pendant quelques heures. Il songe alors à Sophie et à leur relation secrète. À preuve, ce petit sermon à son intention, l'autre jour : « Arrête de téléphoner aussi souvent chez moi. Mes parents vont trouver ça louche. Le prétexte du travail d'équipe commence à être usé. Et si jamais ils apprennent que je sors avec toi, je vais être punie ! »

Leur relation se résume à éviter les conversations téléphoniques, à se voir à la pause entre deux casiers d'école et à passer une soirée ensemble de temps à autre pour ne pas éveiller les soupçons de ses parents. Malgré lui, il s'est habitué à cette routine capricieuse, mais la situation semble peser lourd sur les épaules de Sophie. Elle le traduit par son humeur de plus en plus contrariée.

Maxime refoule donc son envie de lui téléphoner sur-le-champ. Au diable ! Sophie n'est sûrement pas revenue à la maison de toute façon. Sur son bureau, les manuels scolaires sont à peine déposés que la sonnerie du téléphone retentit. Croyant que c'est Sophie, il répond d'un air enjoué :

– Allô !

Deux secondes de silence, puis clic ! on raccroche. Sûrement une erreur de numéro. Quoique… Une idée s'incruste dans son esprit. Si c'était le participant à ses trousses qui s'assure de sa présence avant de lui rendre une petite visite ? Cette supposition est un tantinet ridicule, mais demeure crédible. Il tente de s'en distraire en commençant son devoir de mathématiques.

« Si l'angle AOB mesure 80 degrés et que la circonférence du cercle est… »

La sonnette de la porte se met à crier. Il bondit de sa chaise et tend l'oreille : aucune réaction dans la maison. On sonne de nouveau. En courant vers le vestibule, il est freiné par les soupçons.

L'appel téléphonique, tout à l'heure ? Il regarde par le judas de la porte : le visiteur est un jeune homme dans la vingtaine qui vérifie nerveusement sa montre. Après un moment sans réponse, il s'en va tout simplement, en jetant un coup d'œil discret par la fenêtre du salon. À la recherche de sa cible ?

Maxime attend que l'inconnu soit complètement hors de vue pour bouger. Quels bons instincts de survie il possède ! Cet épisode lui rappelle de demeurer sur ses gardes pour éviter d'être lui-même une victime du jeu d'enquête.

Chapitre III

L'envoi mystérieux

MAXIME ne tient plus en place. Le cours de chimie l'ennuie terriblement aujourd'hui. Il regarde à tout moment les aiguilles de l'horloge. Dommage, elles ne sont pas pressées. Il gribouille dans son cahier de notes en attendant la sonnerie qui le libérera.

Tac ! Une petite bombe de papier atterrit sur son bureau. Il tourne la tête pour apercevoir le sourire railleur de son copain Tom. Ce dernier lui fait signe de lire son message. Il déplie le billet :

Partie de soccer, ce midi, sur le terrain de l'école. Viens-tu jouer ?

Moment d'hésitation. Il a prévu se rendre dans les deux autres écoles secondaires de la ville, pendant la période du dîner, afin d'enquêter sur Maryse Picard. Mais un match de soccer ! Non, non, un peu de discipline. S'il veut gagner les 10 000 $, il doit faire progresser ses recherches.

Avec un pincement au cœur, il répond sur le même bout de papier qu'il lance à Tom :

Peux pas… Réunion du conseil étudiant.

Il retourne à ses gribouillages en bâillant. Ce matin, il s'est rendu tôt à l'école pour scruter les photos affichées sur les murs : photos d'équipes sportives, de voyages scolaires, d'événements marquants, même les mosaïques des élèves des années précédentes. Pas même l'ombre de cette Maryse Picard ! Elle fréquente fort probablement une autre école. D'où son idée de se rendre en terrain étranger à la recherche de renseignements.

En classe, il est encore une fois perdu dans ses histoires imaginaires. Le timbre sonore le fait descendre de son nuage. Finie la flânerie, c'est le temps de passer à l'action ! Sous les bousculades amicales de Tom, il se dirige en vitesse à sa case, où il laisse tomber paresseusement ses livres.

– Bonne partie de soccer, Tom ! Tu compteras quelques buts pour moi, d'accord ?

– Entendu ! Je sauverai ton honneur !

Maxime empoigne son manteau. Lorsqu'il ferme la porte, le charmant visage de Sophie

lui sourit. Elle a les traits tirés. Il passe furtive-
ment une main sur sa figure.

— Salut toi ! Ça va ? Tu as l'air fatiguée.
T'as passé une belle fin de semaine ?

— Oui ! Je n'avais pas vu ma cousine
Mylène depuis presque trois ans ! On a
bavardé comme de vraies pies. Je lui ai parlé
de toi, de mes parents trop sévères ; ça m'a fait
du bien.

— Vraiment ? T'es-tu assurée qu'ils n'écou-
taient pas aux portes ?

Aussitôt ces mots sortis de sa bouche, il se
mord les lèvres. Sophie lui fait la moue.

— Ah ! grogne-t-elle en se tournant pour
s'adosser aux casiers. Arrête donc avec tes petites remarques du genre. C'est pas très
agréable, tu sais.

— Je m'excuse, ça m'a échappé.

— Si tu en as assez de sortir avec une fille
trop compliquée, prends pas quatre chemins.
T'as juste à me le dire clairement.

— Ben non, Sophie ! Arrête tes niaiseries.
Tu sais bien que j'aime être avec toi.

Pour se faire pardonner, Maxime affiche
son plus beau sourire et la prend discrètement
par la taille pour l'attirer vers lui. Il sent une
résistance.

— C'est pas toi qui es compliquée, ce sont
les circonstances. Mais on peut toujours les
changer. Si tu te décidais enfin à avouer à tes…

— Chut ! fait-elle en posant un doigt sur
les lèvres de son copain. Arrête de parler de ça

et raconte-moi ce que t'as fait en fin de semaine.

Il aurait le goût de lui expliquer le jeu organisé par l'agence Mirage, mais à la dernière seconde, il se ravise. Effectivement, son enquête doit rester dans le secret des dieux.

– Bof… j'ai fait la même chose que d'habitude. Je suis sorti avec les gars, j'ai regardé des films.

– Bon! Moi, je m'en vais dîner à la maison, tu m'accompagnes? Mes parents sont absents.

Une des rares possibilités de passer du temps avec elle sans retenue… Bof! il y en aura sûrement d'autres. Une autre priorité est à l'ordre du jour: son enquête sur Maryse Picard.

– C'est dommage, j'ai une réunion du conseil étudiant très importante, ment-il.

– Vous tenez vos réunions à l'extérieur, maintenant?

De son menton, elle pointe le manteau rouge dans les mains de son amoureux. Embarrassé, il le raccroche en balbutiant:

– Voyons, qu'est-ce que je fais là, moi? L'habitude…

La jeune fille rit nerveusement, puis baisse les yeux, l'air songeur.

– En tout cas, tu peux toujours venir me retrouver après ta réunion, si tu veux.

– Ça risque d'être long.

Elle semble déçue.

– C'est correct, on se reverra plus tard au cours de morale, répond-elle en s'éloignant.

– Oui, et à ce moment-là, je veux te voir sourire, d'accord ?

– Ben oui, Max. Regarde, je m'exerce déjà.

Sophie lui adresse un sourire forcé, qui devient malgré elle un rire sincère. Maxime s'en délecte. Il feint de prendre ses effets en attendant que sa copine soit hors de vue. Puis, son manteau d'une main, il ferme la porte de sa case de l'autre et se dirige vers l'extérieur. Sans trop attendre, il monte dans l'autobus qui le mène vers l'école secondaire de la Vallée.

Il pénètre enfin dans l'agora. L'agitation habituelle camoufle son intrusion. Ayant repéré les murales photographiques, il accourt pour les examiner. La photo de Maryse Picard lui sert de référence. Malheureusement, ses recherches restent vaines.

Il ne cède pas pour autant au découragement. Il lui reste à vérifier les photos des élèves des dernières années. D'abord, les plus récentes : Picard, Josée ; Picard, Louis ; Picard, Mar... tin. Pas de Maryse.

Maxime revient sur ses pas, remonte les années. Il scrute les rubriques des noms commençant par *P*. Enfin, il trouve le nom de Maryse Picard. Il s'empresse de comparer à sa propre photo. Ça y est ! Une association parfaite !

S'ajoutent enfin à son dossier d'enquête quelques renseignements : Maryse Picard fréquentait l'école secondaire de la Vallée et a terminé ses études il y a deux ans. Il devrait pouvoir trouver des élèves qui l'ont connue. Sa tâche en serait simplifiée.

Alors, prêt à tout, il commence à interroger des élèves au hasard. Personne ne semble la connaître. Perdant patience, il regarde sa montre : midi quinze. Déjà le temps de retourner à l'école. Il espère que Sophie ne sera pas trop déçue qu'il ait loupé leur rendez-vous.

En sortant, il entend prononcer le nom de Maryse. Il se retourne pour apercevoir trois filles et un garçon qui discutent jovialement. Pas de brunette aux yeux noisette, par contre. Mijotant un scénario, il s'approche quand même du groupe.

— Excusez-moi, je vous ai entendu parler d'une Maryse. Je cherche justement une fille qui s'appelle Maryse Picard. Elle fréquentait votre école il y a deux ans. Vous la connaissez ?

Le garçon se tourne vers la fille à ses côtés.

— Maryse Picard, c'est pas celle qui jouait du trombone avec nous dans l'orchestre de l'école ? Tu sais, la fille avec les grands cheveux brun foncé.

— Ah oui ! C'est vrai, c'est bien son nom, répond-elle. Tu la cherches ?

— Oui. C'est une amie d'enfance, mais on a perdu contact. J'organise des retrouvailles avec des amis. Je me demande si elle habite encore dans les environs.

– Je l'ignore, avance le garçon. Je sais qu'après un concert, il y a à peu près deux ans, mon père et moi, on l'a raccompagnée chez elle. Une grande maison en pierres brunes dans la Petite Vallée, c'est ça ?

– Oui, c'est la même maison qu'autrefois. Aurais-tu l'adresse ? interroge-t-il en espérant obtenir l'information.

– Ça, je pourrais pas dire. Mais elle a peut-être déménagé depuis.

– C'est possible. Vous n'auriez pas son numéro de téléphone par hasard ?

Quatre signes négatifs. Maxime tente de cacher son désappointement.

– Parfait, merci quand même. Salut !

À l'instant même, un autobus approche. Il hâte le pas et monte.

Mise à jour du dossier d'enquête : Maryse Picard jouait du trombone dans l'orchestre de l'école secondaire de la Vallée. Elle a terminé il y a deux ans. Elle habite probablement encore le quartier de la Petite Vallée, dans une grande maison en pierres brunes. Il faudra aller y jeter un coup d'œil, mais pas ce midi. Il doit aller retrouver sa Sophie toute souriante dans un autre cours d'enseignement moral ennuyeux.

※

En fin d'après-midi, le soleil pointe enfin, mais Maxime le remarque à peine, trop préoccupé par la course folle de ses idées. Comment trouver l'adresse exacte de Maryse Picard? Il y a toujours le bottin. Cependant, il connaît mal le nom des rues dans ce quartier. Bof, pourquoi ne pas le feuilleter rapidement? On ne sait jamais.

Il s'engage dans l'allée de sa maison, prend instinctivement le courrier. Il entre, enlève ses chaussures et son manteau, dépose son sac sur une chaise, et la pile d'enveloppes sur la table de la cuisine. La télévision joue à plein volume dans le sous-sol. Sa petite sœur Janie doit encore avoir oublié d'éteindre l'appareil avant de partir, en laissant traîner son couvert du dîner.

Il écoute les messages sur le répondeur. Un seul, adressé au père de Maxime : « Salut Raymond, c'est ton frère Paul. Venez-vous toujours souper samedi soir ? Rappelle-moi, O.K. ? Salut ! », et puis trois « clic ! ». Il consulte rapidement le courrier reçu, jusqu'à ce qu'une enveloppe attire son attention. Deux mots y sont inscrits : Maxime Bilodeau. Aucune adresse, aucun timbre, rien que son nom. Étonné, il se met à déchirer le papier pour en sortir le contenu : un morceau de feuille arraché, porteuse d'un message :

Monsieur Bilodeau, n'oubliez pas que le jeu d'enquête se déroule dans le plus profond des secrets. Respectez bien cette règle. Autrement, ce serait beaucoup trop risqué...

Cet envoi provient-il des hommes de l'agence qui désirent insister sur cette règle du jeu ? Procéder dans le secret... pour camoufler quelque chose ? Ça y est ! Ils manigancent un plan contre lui.

Voyons, cette petite note de menace doit faire partie du jeu. Les organisateurs tendent ce piège à tous les participants, question de tester leur sang-froid. Mais leur stratagème ne fonctionnera pas avec Maxime ! Il n'est pas un lâcheur, il a l'intention de tout faire pour mettre la main sur les 10 000 $. Se taire n'est même pas un problème pour lui !

Dans son esprit, il s'apprête à oublier cette lettre lorsqu'un détail remonte à sa mémoire : il n'a jamais fourni son adresse à l'agence, seulement son numéro de téléphone. Ces hommes se seraient-ils donné la peine de trouver chacune des adresses des participants pour ensuite aller déposer ce message à leur domicile ? Non, ce serait évidemment une perte de temps.

Par déduction, si l'agence n'en est pas responsable, ça doit être un autre participant du jeu. Sûrement le joueur qui est à ses trousses, qui tente d'effrayer sa proie. Il peut toujours courir, celui-là !

Juste avant de s'en convaincre, Maxime se remémore les paroles qu'il a interceptées la veille à l'agence : « On ne peut pas la laisser aller comme ça, pas dans son état. *Ce serait trop risqué. Beaucoup trop risqué.* » Une phrase étrangement similaire clôt la lettre reçue. L'homme de l'agence s'est-il trahi lui-même ? À quoi bon : organisateur du jeu ou participant, l'auteur de cette lettre perd son temps à tenter de le ralentir dans son enquête.

Le jeune homme prend la lettre et l'enveloppe, les déchire. Il veut revêtir une carapace invincible, mais en son for intérieur il n'arrive pas à balayer le doute.

Soudain, Janie le fait sursauter.

– Maxou plein de poux !

Il déteste ce surnom ; sa sœur le fait exprès. Il prend sa revanche.

– Tiens, si c'est pas Jeannot Lapin aux grandes dents !

– Au moins mes dents sont droites, moi.

– Continue comme ça et tu verras ce qu'il va rester de tes dents !

Une grimace se dessine sur le visage de Janie.

– J'ai pas peur de toi, tu sauras. Au fait, maman a téléphoné tout à l'heure. Elle règle des choses à la banque après le travail, puis va chercher papa. Ils vont t'attendre à l'entrée de l'école avec les billets.

Il ne comprend pas.

– À l'école ? Les billets ?

– Oui, pour ma pièce de théâtre. T'as oublié ? C'est ce soir !

Zut ! Maxime avait prévu poursuivre son enquête.

— Maxou, tu m'as promis que tu viendrais…

Janie paraît fort déçue. Son grand frère cède.

— Oui, je vais y aller. T'as pas une répétition générale ?

— Je suis venue manger en vitesse. Je me sauve maintenant. Souhaite-moi « merde » !

— Si t'oublies ton texte, je me ferai un plaisir de rire de toi !

Il la taquine, elle le sait, mais elle lui décoche quand même une dernière grimace avant de refermer la porte d'entrée. Le téléviseur joue encore à tue-tête au sous-sol…

Maxime et Sophie réussissent à trouver deux places l'un à côté de l'autre. Il n'y a aucun risque puisque les parents de son amie n'assistent pas à la pièce de théâtre de la polyvalente des Ruisseaux. Quant à Janie, elle se débrouille très bien sur scène.

Maxime croit que ce spectacle lui permettra d'oublier les petits tracas du jeu et l'humeur changeante de sa copine. Pourtant, l'effet escompté ne se produit pas. Il se sent désarmé, nerveux. Bizarrement, l'obscurité partielle de la salle le plonge dans l'inconfort. Depuis le début de la représentation, ses mains s'agitent, comme s'il tenait une bombe qui fait « tic-tac » sans arrêt. Sophie s'inquiète de son comportement.

– Voyons, Max ! Quelque chose qui va pas ?

– Non, non, j'ai la bougeotte, c'est tout. Excuse-moi.

Voulant s'assurer de ne pas avoir dérangé ses voisins, il tourne légèrement la tête vers la gauche, puis vers la droite. Stupeur ! Il doit se tromper. Deux sièges plus loin, une femme retire de son sac à main le tampon encreur de l'agence Mirage. C'est la panique ! La marée monte pour l'engloutir. Il lui faut conserver son sang-froid. Impossible de se sauver au beau milieu de la pièce, il éveillerait les soupçons. En revanche, s'il restait assis là bêtement, il serait éliminé, et c'en serait fini du jeu d'enquête.

Il amorce un départ. Au même moment, l'arme fatidique de la dame se précipite sur la main… de son voisin de gauche, qui arbore aussitôt le logo de l'agence. L'homme fraîchement expulsé du jeu frôle Maxime lors d'une manœuvre défensive, hélas tardive. Ses grands yeux ronds crient à la trahison. La dame le regarde d'un air désolé alors qu'elle l'entraîne hors de son siège, sûrement dans le but de lui réclamer la photo de sa nouvelle cible.

Sophie se tourne pour regarder le couple partir. Heureusement, elle n'aperçoit pas le visage blême de son compagnon, qui s'est rassis en douceur. Son système nerveux ralentit la cadence, tout en restant alerte. Cette fois, il l'a échappé belle ! Irrévocablement, cette femme s'inscrit sur sa liste noire. À l'avenir, il devra surveiller ses arrières. Il constate un peu plus l'ampleur du jeu : il doit soupçonner tout le monde. L'ombre de la salle abrite-t-elle ce soir d'autres participants au jeu d'enquête organisé par l'agence Mirage ? Tout au long de la représentation, son regard est distrait de la scène, à l'affût du moindre mouvement suspect.

Le plancher des toilettes de l'école est froid. Dès son premier pas, Maxime sent que quelque chose ne va pas. Qu'il ne devrait pas être là. Qu'il devrait reculer, s'enfuir tout de suite. L'air est souillé. C'est trop silencieux. Peut-être parce qu'il est tôt le matin. Il continue d'avancer. Les trois portes des cabines des toilettes sont closes. Tranquillement, comme pour ne pas perturber ce silence angoissant, il se dirige vers celle du milieu, la pousse de sa main qui devient de plus en plus moite. Instinctivement, il regarde vers le sol. Il y voit un pied, une jambe, un corps affalé sur les carreaux de céramique, accroché désespérément à la cuvette.

Maxime se fige. Pas un cri. Pas un geste. Seul son cœur s'acharne contre sa poitrine. Ce corps immobile, c'est celui du spectateur infortuné d'hier soir. L'homme qui s'est fait sournoisement éliminer du jeu d'enquête.

Est-il mort ? Un vertige s'empare de lui. Pourquoi a-t-il décidé subitement, à son réveil, de venir s'entraîner à l'école à une heure pareille ? Était-il destiné à découvrir *ça* ?

Après quelques secondes, le jeune homme quitte les lieux sur la pointe des pieds.

Chapitre IV

La participante fantôme

QUOI ? Il s'est suicidé ? répète Tom, encore tout essoufflé.

Ses paroles sont étouffées dans le branle-bas causé par l'événement. Des policiers sont encore sur les lieux et défendent l'accès aux toilettes.

— C'est ce que certains disent, affirme Maxime sur un ton hésitant. Mais pour un suicide, j'ai trouvé ça plutôt… propre. Pas de sang, pas d'arme.

— Quoi ? Tu l'as *vu* ? fait Tom, ébahi.

— Chut…

Il regarde discrètement autour de lui, s'assure de l'anonymat de leur conversation avant de poursuivre.

— Personne n'est au courant que j'ai été le premier à le trouver, ce matin. Je suis entré dans les toilettes après mon entraînement matinal : il était là. Je ne savais pas trop quoi faire, alors je suis ressorti sans rien dire à personne. Le concierge s'en est chargé.

— Oh mon Dieu ! Ça doit être bizarre de tomber à tout hasard sur un cadavre ! s'exclame Tom, en faisant une moue dégoûtée. Il était comment ?

— Mort.

Son ami ne peut s'empêcher de glousser.

— Ouais... ça c'est sûr.

Sans plus de questions, ils marchent vers l'extérieur pour aller profiter de ce congé imprévu. Les deux comparses retiennent mal un rire sans joie. Maxime se sent étroitement lié à cette mort, et cette idée lui donne la chair de poule.

Leur répit n'est pas de longue durée. Après l'heure du dîner, ils retournent en classe. Une drôle d'atmosphère règne parmi les élèves. De son côté, Maxime refuse de se laisser tourmenter par son horrible découverte du matin. Sa motivation repose principalement sur l'obtention des 10 000 $. Cet après-midi même, il reprendra ses recherches pour le jeu d'enquête en y mettant les bouchées doubles.

Hier soir, il a vérifié la liste des Picard dans le bottin et, en s'aidant d'un plan de la ville, il a noté les adresses au cœur du quartier de la Petite Vallée.

Enfin, le dernier timbre sonore retentit ! Il doit aller prendre l'autobus direction

Petite Vallée. Une fois à bord, il scrute le visage de chacun des passagers, à la recherche des candidats potentiels inscrits sur sa liste noire : Maryse Picard en tête, juste au-dessus de ce jeune homme blond qu'il a surpris à sa porte, et de cette femme rusée à la pièce de théâtre, hier. Personne ne répond à ces attentes.

En descendant de l'autobus, l'enquêteur sort le bout de papier sur lequel sont griffonnées des adresses. Il arrive à la première rue indiquée sur la liste. Ne lui reste plus qu'à repérer la bonne adresse.

352, non. 348... On y est ! 346 : petite maison de style québécois. Aucune pierre brune.

Pas de panique, les possibilités ne sont pas toutes écoulées. Sa stratégie d'enquête lui fait parcourir les rues avoisinantes. Au bout du compte, il constate qu'aucune des maisons de sa liste n'épouse la description recherchée. En fait, il n'a repéré aucune maison en pierres brunes dans tout le quartier.

Jouer à Colombo exige de l'astuce. Jusqu'à maintenant, la méthode du bottin a été plus productive. L'apprenti détective devra miser sur d'autres renseignements qu'il possède au sujet de sa cible. Mais où se cache cette fantomatique Maryse Picard ?

Maxime repère l'arrêt d'autobus le plus près. Il attend cinq, dix, quinze minutes. Assis au bord du trottoir, il commence à angoisser.

Pendant l'attente, ses pensées lui projettent en rafales des images du cadavre qu'il a découvert dans les toilettes. Il imagine le rapport de police : « Mort causée par un jeu d'enquête ». Serait-ce plausible que le cœur de ce type ait flanché à la suite de son élimination ? Ce serait là l'acte final d'une obsession perfide pour un simple jeu de poursuite. Cette aventure n'aura jamais un effet aussi dramatique sur Maxime, puisqu'il sait bien doser la part du jeu dans sa vie. L'idée le contrarie. Sans illusions, il doit se rendre à l'évidence : sa vie s'abreuve présentement de ce jeu.

Il se redresse ; l'autobus se pointe enfin. Il monte et se dirige immédiatement vers le siège libre du fond. Pas question qu'un participant le surprenne par-derrière. Rassuré, le jeune passager tente de rêvasser en regardant par la fenêtre. À peine quelques arrêts plus loin, il revient subitement sur terre. Maryse Picard marche sur le trottoir ! C'est bien elle, aucun doute.

Vite ! Il insiste pour descendre tout de suite, mais le chauffeur, bougon, lui crache qu'il descendra au prochain arrêt comme tout le monde. Ah ! s'il savait…

Au rythme du tangage de l'autobus, le participant essaie tant bien que mal de ne pas perdre de vue sa cible. Oh non ! Maryse Picard bifurque à sa gauche. Après un court trajet qui lui semble un kilomètre, ce bourreau de chauffeur ouvre enfin les portes. C'est la course folle jusqu'à l'intersection. Comme elle, il tourne rapidement à gauche.

Rue déserte ! Plus de Maryse Picard ! Seul un Maxime Bilodeau furieux d'être passé si près de sa cible. Peut-être a-t-elle aperçu son poursuivant et s'est-elle cachée pour mieux l'observer ? Elle est sans doute très futée pour devenir invisible en deux temps, trois mouvements. À moins qu'elle ne soit déjà rentrée chez elle ? Non, pas de maison en pierres brunes en vue.

Ce n'est que partie remise.

Le lendemain après-midi, l'enseignant d'histoire explique à ses élèves un travail de recherche à remettre deux semaines plus tard. Maxime décide d'en disposer au plus vite pour éviter que la charge de travail s'accumule et nuise à son enquête, qui souffre déjà d'un certain retard.

Après l'école, il accourt à la bibliothèque municipale et s'empresse de consulter les ordinateurs. Il décèle quelques références, qu'il griffonne sur un bout de papier, et repère les volumes. Il n'en reste plus qu'un seul, au fond de la bibliothèque.

Il s'engage entre deux rayons bien fournis et dépose sa pile de livres sur une section de tablette libérée. Lorsqu'il lève la tête, une impression saugrenue vient l'envahir : l'allée où il se trouve est étrangement étroite. Anormalement étroite. De plus en plus étroite. Ce détail le tracasse. Les rayons ressemblent bientôt à d'imposants gratte-ciel qui menacent de s'écrouler. Claustrophobe inavoué, il est saisi de vertige.

Désireux de se soustraire à ce malaise, il cherche la cote du livre désiré. Le voilà ! Il tend le bras vers la tablette, retire l'épais bouquin et... des yeux perçants le fixent. Sous l'œil droit, une longue cicatrice hideuse. Estomaqué, il en échappe le livre. Les yeux, surpris en pleine action, disparaissent subitement du cadrage. Il ramasse le bouquin, puis remonte l'allée en courant. Il se place au bout de l'allée voisine, de façon à faire obstacle au fuyard. Curieusement, l'allée est déserte. Il pratique trois brusques rotations de 90 degrés : personne ! On dirait qu'il est seul dans cette section de la bibliothèque.

Maxime reste immobile quelques secondes, le temps de tenter de comprendre ce qui vient de se produire. Non, ce n'est pas une hallucination qui l'a frappé dans un moment d'étourdissement. Il a bel et bien senti ce regard froid fixé sur lui. Il a l'impression d'être un animal dans la mire d'un chasseur.

Des yeux cruels. Et une horrible cicatrice. Ce fragment de visage s'inscrit à sa liste noire, sur laquelle figurent déjà trois personnages activement impliqués dans le jeu d'enquête.

Secoué d'un frisson, il se met à examiner les recoins de la bibliothèque. Aucune trace de l'inconnu. Seuls quelques individus effectuent des recherches ; d'ailleurs, aucun d'eux n'arbore la moindre cicatrice au visage. Son poursuivant a donc fui comme une bête effrayée.

Quelque peu remis de ses émotions, il va récupérer la pile de livres laissée sur l'étagère fatidique. Il redoute ce coin comme s'il était hanté. Au pas de course, il regagne l'avant de la bibliothèque où il y a des postes de travail. Il prend soin de déposer les volumes à une station où il tournera le dos à un mur, afin d'éviter une attaque surprise. On n'est jamais assez prudent. Peut-être que le rôdeur est toujours présent.

Il commence à feuilleter un premier livre. Un sentiment d'insécurité l'assaille. Comme une vision intérieure, surgissent constamment ces yeux horribles. Ce simple souvenir le fait frissonner. Il craint de sentir à tout moment le contact de l'arme fatale sur sa peau. Il se lève brusquement et apporte sa pile de livres jusqu'au comptoir des prêts.

Une fois chez lui, il monte immédiatement à sa chambre et pose les livres sur son bureau. Il doit absolument se débarrasser de ce travail d'histoire qui fait obstacle à son enquête. Plongé dans ses lectures, il n'entend pas les coups frappés à la porte de sa chambre, qui s'ouvre alors lentement.

– Salut Max !

Il sursaute.

— Ah ! c'est toi, Sophie. Je ne t'ai pas entendue arriver.

Elle s'avance vers lui et lui masse délicatement les épaules.

— T'es pas mal nerveux, ces temps-ci.

— Je dois terminer mon travail au plus tôt.

— Tu peux quand même faire une petite pause pour moi ; j'ai encore inventé une histoire pour venir te voir.

Elle lui plaque un tendre baiser sur la joue, mais Maxime ne se tourne même pas pour la regarder. Sa froideur l'étonne lui-même. Pour se justifier, il songe à sa récompense future de 10 000 $, qui servira à la gâter un peu elle aussi.

— Je n'ai pas beaucoup de temps, Sophie.

Elle lui lâche les épaules et se place devant lui.

— Voyons, Max, veux-tu bien me dire ce qui t'arrive ? T'es bizarre depuis quelques jours.

Il n'aime pas lui mentir, mais pour l'honneur du jeu d'enquête, il tient à son silence.

— Excuse-moi, Sophie. C'est juste à cause de la saison de soccer qui va commencer bientôt, et tu sais comment c'est important pour moi. Je ne voudrais surtout pas prendre du retard à l'école. Alors, j'ai décidé de m'y mettre tout de suite, c'est tout.

Le visage de Sophie traduit son scepticisme. Maxime se remet aussitôt au travail.

— T'es vraiment motivé en tout cas ! lance-t-elle. La bombe atomique sur Hiroshima et Nagasaki ? T'aurais pu trouver plus original comme sujet.

Elle lui fait une gentille grimace en soulevant un à un les livres pour en lire le titre. La photo de Maryse Picard ! Oh non, il l'a laissé traîner par inadvertance. Trop tard, Sophie l'a aperçue. Elle la prend. Vite, il doit trouver une explication !

— C'est qui cette fille ?

— Euh, Maryse quelque chose… Son nom est inscrit en arrière.

Sophie fixe son copain droit dans les yeux. Il sent la tempête gronder.

— Je ne veux pas savoir son nom, je veux savoir qui elle est !

— Voyons, fâche-toi pas comme ça ! Je la connais même pas, cette fille-là…

— Qu'est-ce que tu fais avec sa photo d'abord ?

Maxime essaie tant bien que mal de prévenir les ravages du volcan en éruption.

— C'est même pas à moi, la photo. Je pense que c'est à Tom.

— Tu *penses* que c'est à Tom ?

— Après le dernier cours, Tom est parti en vitesse. Quand j'ai fermé la porte de ma case, j'ai aperçu cette photo qui traînait par terre, près de la sienne. Je n'ai pas eu le temps de la lui remettre, il était déjà parti.

Le brouillard commence à se dissiper dans les yeux de Sophie. Maxime résiste difficilement à l'impulsion de tout lui avouer.

– T'as même pas pris la peine de téléphoner à Tom pour savoir si c'est à lui ?

– J'ai pas eu le temps. Je suis allé à la bibliothèque après l'école.

– Comme ça, tu connais pas cette
Maryse ?

Il retient un rire ironique. Comme elle dit
juste ! Il ne connaît pratiquement *rien* de
Maryse Picard…

Sophie finit par se calmer et s'excuse de
s'être laissée emporter. Si ce jeu continue encore longtemps, il risque d'envenimer ses rela-
tions avec son entourage. Mais il s'est engagé
dans cette aventure jusqu'au bout. Il doit agir
avec tact et promptitude.

La journée du jeudi n'est pas très fructueuse pour Maxime. Sa nervosité s'accroît
toujours ; il sent constamment un regard obs-
tiné qui l'épie. Aussitôt qu'il se hasarde dans
une foule, il se méfie de tout et de rien. La
situation nuit drôlement à son enquête.
Comme l'écrivain impuissant devant une page
blanche, il reste infertile lorsque vient le
temps d'élaborer des stratégies pour retrouver
sa cible. En fin de compte, il n'est pas un aussi
habile détective qu'il le croyait.

L'enquête est donc mise en suspens. Malgré ce congé volontaire, cette sensation croissante de paranoïa est fidèle au rendez-vous.

L'horaire de la soirée : il invite Sophie à visionner un film chez lui. Pendant la projection, sa crainte des interventions extérieures reliées au jeu d'enquête diminue et il atteint un certain niveau de détente, jusqu'à ce qu'il accorde une attention particulière au comportement de Sophie. Elle est assise à l'autre bout du divan. Ils ne se touchent même pas. Ils ne se lancent pas de commentaires rigolos pendant le film. Rien. Maxime n'ose tenter un rapprochement, ne voulant pas la brusquer. Malgré lui, il se sent un peu responsable. C'est vrai que ces temps-ci, il met beaucoup plus d'énergie à enquêter pour le jeu qu'à préserver sa relation clandestine avec Sophie.

Le générique final défile à l'écran. À l'aide de la télécommande, il arrête la bobine dans le magnétoscope. Le bulletin de nouvelles est diffusé à la télévision.

— As-tu aimé le film, Sophie ?

— Oui, oui, murmure-t-elle en fixant toujours l'écran.

Le ton de sa voix ment. Pourquoi cette fausse réponse, alors ? Elle fait un mouvement pour s'asseoir au bord du divan, puis regarde par la fenêtre, songeuse. Pendant qu'il l'observe discrètement, Maxime attrape au vol les propos du journaliste ; son attention est ramenée vers la télévision.

... a fait la macabre découverte d'un cadavre, en fin d'avant-midi, dans un boisé

situé tout près de l'autoroute 450, à environ deux kilomètres du secteur de Laurierville, à l'est de la ville. La victime serait Félix St-Arnaud, un jeune homme de vingt-deux ans, originaire de...

Sidéré, il s'enfonce dans le divan. Ses pensées déferlent. La photo de la victime couvre une partie de l'écran. C'est le jeune homme qui est venu frapper à sa porte, le dimanche précédent.

Cette découverte soulève plusieurs interrogations. Dans la poche intérieure de son manteau, la victime avait en sa possession la photo d'une personne difficile à identifier, sur laquelle un motif mystérieux est tracé au crayon feutre.

Nouveau choc. Ce motif, c'est le logo de l'agence Mirage ! La photo dévoilée à l'écran, c'est celle que Maxime est allé prendre dans la cabine au centre commercial. Il reconnaît le rideau jaune en arrière-plan et le col de son chandail bleu poudre rayé mauve qui dépasse de son manteau rouge.

Chapitre V

Étranges coïncidences

*L*ES POLICIERS *tentent d'identifier cette personne afin de l'interroger relativement à cette affaire. Toutefois, le corps de la victime ne porte aucune lésion laissant croire à une agression. Une autopsie sera pratiquée au cours des prochains jours.*

Nul doute : il s'agit d'un participant au jeu d'enquête, qui s'est littéralement fait éliminer. Un vulgaire pion renversé sur un échiquier.

Maxime revoit aussitôt l'image du cadavre dans les toilettes. Cet homme était également un participant au jeu. Deux joueurs trouvent la mort dans des circonstances bien étranges. Suicide, accident ou… meurtre ?

Mais que signifie le logo de l'agence sur la photo de Maxime ? Il doit bien y avoir été placé pour une raison précise. En contrepartie, on n'a retrouvé aucune photo sur la victime de l'école. Il se remémore l'air menaçant de la bête sur le logo. Soudain, il remarque que le croquis, vu sous un angle différent, épouse la forme d'un *X* calligraphié.

Pour *éliminé…*

Un double sens se dégage de cette marque fatale. Un mauvais sort jeté stratégiquement par un sorcier fou. Le pire scénario se trame ainsi : un participant au jeu manifeste une avidité excessive pour les 10 000 $ du prix. Pour s'assurer de la victoire, il élimine tous les obstacles sur son parcours, à commencer par ses deux premières cibles. Cette hypothèse est vraisemblable, mais le voue à un destin cruel. Il était lui-même la cible de Félix St-Arnaud ; ce dernier portait sa photo sur lui. Selon les règles du jeu, cela signifie que son meurtrier est à ses trousses. La peur s'empare de lui.

Il laisse échapper un gémissement, qui extirpe Sophie de ses pensées. Aussitôt, elle remarque le visage blême, voire terrorisé de son copain.

– Voyons, Max ! T'es-tu vu l'air ? On dirait que tu viens d'apercevoir un fantôme.

Un fantôme… Si seulement c'était ça ! Décidément, elle n'a rien entendu du reportage. Son supplice n'est pas provoqué par un pauvre fantôme, mais par ce jeu d'enquête qui prend les allures funestes d'un champ de bataille, où les combattants solitaires opèrent dans la plus grande immunité.

Dans le plus profond des silences, tel que le veut l'agence Mirage.

Il est à un cheveu de déroger à ce règlement stupide ! Deux meurtres, il n'appelle plus ça un jeu. Maintenant, c'est sa propre sécurité qui est en péril. Son comportement hermétique a assez duré, l'heure a sonné pour lui de fournir quelques explications à ses proches, en commençant par son amoureuse. Leurs deux rives ne peuvent plus continuer de s'éloigner ainsi.

— Sophie, approche-toi...

De la main, il lui indique la place vacante à ses côtés. À défaut de s'avancer, elle incline son corps vers son copain. Il désire combler cet espace entre eux, mais y renonce.

— Tu as sans doute remarqué mon attitude bizarre depuis une semaine. Mais tu sais, il y a une raison à tout ça. C'est que...

La sonnerie du téléphone stoppe ses aveux. Il allonge le bras pour saisir l'appareil.

— Allô !

— M. Bilodeau... n'oubliez pas : ne faites mention du jeu d'enquête à PERSONNE, crache une voix camouflée. Sinon, gare aux conséquences...

Son interlocuteur raccroche. Soudé au divan, il balaie la pièce du regard, puis scrute la nuit à travers la fenêtre avec la certitude d'être épié. Un tel avertissement alors qu'il s'apprête à tout avouer à Sophie ! Une simple coïncidence ? Se pourrait-il qu'un observateur l'espionne ? Il renonce à son élan de confidence de peur de lui faire courir un danger.

— Erreur de numéro, chuchote-t-il à Sophie.

Voyant sa copine en attente d'explications, il n'a d'autre choix que de lui mentir.

— C'est bête, mais j'ai des phases d'insomnie terribles.

Elle le regarde dans les yeux, le sourire absent.

— C'est bien normal, Max, t'as toujours des idées folles dans la tête. Moi-même, je suis étourdie rien qu'à te regarder faire. Tu devrais prendre le temps de relaxer.

— Tu as raison. Peut-être que je serais plus détendu si tu me faisais un bon massage, ronronne-t-il dans l'espoir de se faire pardonner.

— Ça ne me tente pas. Je suis fatiguée. D'ailleurs, il est temps que je parte.

— Seule ? Veux-tu que je te raccompagne ?

— C'est pas la peine. J'ai ma bicyclette. Je pense que je suis capable de traverser cinq rues toute seule comme une grande fille.

— Je sais bien, Sophie, mais il faut être prudent de nos jours, avec tous les maniaques qui courent les rues.

— Voyons donc, Max ! On n'est pas à New York ni dans un film d'horreur !

Elle enfile son manteau en se dirigeant vers la porte arrière ; son vélo est dans la cour.

— On se voit demain à l'école ?

Maxime acquiesce, puis elle lui plaque un baiser froid sur la joue avant de sortir. Il passe rapidement au salon pour la voir s'éloigner. S'il fallait qu'il lui arrive un malheur, il ne se le pardonnerait jamais. Mais après tout, c'est lui qui se trouve en situation de danger, pas Sophie. À moins qu'elle ne participe au jeu, elle aussi.

Maxime commence à penser qu'il délire, que son imagination lui joue des tours. Mais le reportage à la télévision sur ce meurtre, il l'a vu. Ce cadavre dans les toilettes, il l'a bien découvert. Et ces yeux menaçants à la bibliothèque... Il ne peut réfréner cette sensation d'être en observation constante, tel un minable rat de laboratoire dans sa petite boîte labyrinthique, contrôlé par des géants en sarrau blanc.

Il va éteindre le téléviseur et les lumières du rez-de-chaussée. Le coup de téléphone reçu quelques instants plus tôt n'est pas le fruit du hasard. Inquiet, il passe la main sous les petites tables du salon, sous celle de la cuisine et sous les comptoirs, à la recherche de microphones qu'on aurait pu y glisser à son insu. Pourtant, il n'y découvre rien. Il vérifie si toutes les portes sont verrouillées, et les fenêtres fermées. Après sa tournée, il monte se coucher. D'un geste brusque, il verrouille la porte de sa chambre.

✳

Avant de s'endormir, Maxime réfléchit longuement. Il tire la conclusion suivante : il devra s'inventer une excuse très vraisemblable afin de pouvoir se retirer du jeu d'enquête. C'est devenu trop dangereux. Au diable les 10 000 $! Il veut retrouver sa vie normale d'adolescent rêveur. Il n'a plus le goût de jouer les superhéros aux prises avec des psychopathes.

Au petit matin, il se dit fiévreux. Grâce au truc du thermomètre chauffé par la chaleur de l'ampoule, sa mère lui signe un billet d'absence.

Une fois la maison déserte, il se lève et saute dans la douche. Ensuite, il se prépare un déjeuner copieux qu'il dévore en vitesse.

Enfin prêt, il retire de son portefeuille la carte que l'homme de l'agence lui a remise. Le numéro de téléphone y est inscrit. Il le compose. Aussitôt, une voix machinale le surprend :

Il n'y a pas de service au numéro que vous avez composé.

Pas de service ? Maxime relit le numéro sur la petite carte et appuie de nouveau sur les touches. Le même message ! Pour en avoir le cœur net, il décide sur-le-champ d'aller faire un tour au bureau de l'agence, rue de l'Équivoque. Il enfourche sa bicyclette et pédale à vive allure.

Arrivé sur les lieux, il frappe à la porte d'abord légèrement, puis de façon plus insistante. Aucune réponse. Pourtant, lors de son entretien, l'un des hommes a bien mentionné que l'agence est *toujours* ouverte. Bizarre...

De plus en plus soupçonneux, il regarde par la fenêtre pour apercevoir la pièce dans son ensemble. Surprise ! Elle est complètement vide, abandonnée. Il ne reste que le tapis et les quatre murs. Ça y est, ces traîtres se sont sauvés sans laisser d'adresse. Toute une arnaque, ce jeu d'enquête ! Les participants ont mordu à belles dents dans l'appât garni de billets verts. Bande de naïfs !

Tout porte à croire que cette mise en scène a été planifiée depuis longtemps ; le scénario a fonctionné à merveille. Avec des frais d'inscription de 100 $ par participant, ils n'ont pas dû devenir millionnaires. Une motivation de plus grande envergure doit justifier leurs actes. Les organisateurs peuvent-ils avoir usé d'un tel stratagème pour camoufler deux meurtres prémédités ? Y a-t-il un rapport avec la conversation qu'il a surprise l'autre jour dans le bureau de l'agence ?

Diminuer la dose, dans son état, ça l'achèverait...

Malgré la disparition mystérieuse de l'agence, le jeu d'enquête ne semble pas terminé pour autant. Aussi aventureux soit-il, le jeune homme ressent une sensation intolérable dans le creux de l'estomac, signe d'un danger imminent.

Il sent sa vie menacée. De toute évidence, les hommes de l'agence ont lancé un comparse à ses trousses. On l'a bien averti de rester aussi muet qu'une tombe à propos du jeu. Il ne veut pas mourir comme Félix St-Arnaud, ou ce type dans les toilettes. Sans doute ont-ils été trop bavards. Cette organisation s'est peut-être infiltrée partout ; décidément, on ne peut faire confiance à personne.

Il empoigne sa bicyclette et se met à pédaler avec frénésie. Au grand dam des conducteurs, le fuyard brûle plusieurs arrêts aux intersections.

Enfin, il foule le sol de la maison familiale. Il verrouille les portes à double tour, puis enjambe les marches qui mènent à sa chambre. Il claque et verrouille la porte, ferme les rideaux, débranche le téléphone. Tout contact avec l'extérieur est coupé. Il n'a même plus le courage de réfléchir à un moyen ingénieux pour sauver sa peau. À quoi bon : la partie est perdue d'avance.

Il se réfugie sous les couvertures, en attente de son destin.

❇

Maxime plonge enfin dans un sommeil profond. Ses membres sont secoués de soubresauts. Même en rêve, ce sentiment d'être épié par ces deux yeux menaçants l'habite toujours.

Il reprend conscience en fin d'après-midi. Il aperçoit sur sa table de chevet une enveloppe blanche. Intrigué, il allume sa lampe, plisse les yeux pour observer l'objet avant d'y toucher, comme s'il pouvait exploser au contact de ses doigts. Il ouvre la missive, retire la feuille pliée et lit :

Cher Maxime Bilodeau,
À la suite d'une restructuration budgétaire effectuée au sein de l'agence Mirage, un surplus financier a été constaté pour l'édition courante du jeu d'enquête. C'est pourquoi il nous fait plaisir de vous annoncer que la bourse remise au gagnant passera de 10 000 $ à 25 000 $. Considérez cette décision comme notre reconnaissance envers l'excellence et la détermination manifestées par tous les participants. Continuez votre bon travail ! Qui sait, cher M. Bilodeau, vous serez peut-être notre prochain vainqueur...
Bien cordialement,
Les membres de l'agence Mirage

Quoi, 25 000 $! Avec une pareille somme, il pourrait partir à l'aventure partout dans le monde, ou même tourner un petit film de fiction, se réservant le rôle principal. Pourquoi pas ! Pendant quelques instants, il se laisse séduire par l'appât de l'argent. Il en oublie presque les dangers.

Puis, il se cambre. Une lettre officielle de l'agence ! Qui n'a même plus de bureau.

Malgré tout, le jeu semble aller bon train, avec cette histoire d'augmentation de la bourse. Maxime flaire un nouveau piège. Peut-être que d'autres participants tomberont encore dans leurs filets, mais pas lui. C'est trop risqué. Il n'a pas le goût de se transformer en cadavre. À défaut de pouvoir abandonner officiellement le jeu, il continuera de se conformer aux règlements, mais agira en toute transparence pour se protéger des attaques potentielles.

Trois coups résonnent à sa porte. Il sursaute et laisse tomber la lettre par terre. Malheur ! la serrure de la porte n'est plus verrouillée...

Chapitre VI

Poursuites

– MAXIME ? C'est la voix de son père. Sous l'impulsion, le jeune homme ramasse la lettre et la déchire en plusieurs morceaux. Il se lève et les jette dans la poubelle juste avant que son père entre dans la chambre.

– Ah tiens ! Tu es réveillé. Le souper est prêt.

Un peu désorienté, il se frotte le visage en soupirant.

– Je… ma porte n'était pas… ?

– Oui, justement. Depuis quand verrouilles-tu ta porte ?

– Je ne voulais pas être dérangé, j'étais très fatigué.

– Je crois bien ! À mon retour, je suis venu voir comment tu te sentais. J'ai frappé, tu ne répondais pas. J'étais inquiet, alors j'ai utilisé le passe-partout. Finalement, tu dormais comme une bûche. Ah oui ! J'ai déposé ton courrier sur ta table.

Il fait un signe affirmatif. Son teint livide trahit sa confusion.

— Ça va, mon gars ?

L'adolescent acquiesce de nouveau. Son père semble hésitant à le croire.

— Viens manger. Ça va te faire du bien, le rassure-t-il en posant une main sur son épaule.

À table, tous remarquent le piètre état de Maxime. Sa mère se penche vers lui :

— Tom et David ont téléphoné pendant que tu dormais. Ils voulaient savoir si tu désirais aller au cinéma avec eux, ce soir. Pas longtemps après, c'était au tour de Sophie d'appeler. Elle a pris de tes nouvelles, ensuite elle a dit qu'elle avait un empêchement et qu'il faudrait remettre votre rendez-vous pour votre travail d'école.

Il enregistre le message en hochant tout simplement la tête, le regard absent. Ses parents et sa sœur poursuivent à eux seuls la conversation. La nourriture dans son assiette reste pratiquement intacte. Son comportement languissant doit être un contrecoup de la fièvre, croit-on. Janie doit s'y prendre à quelques reprises pour attirer l'attention de son frère.

— Maxime ? Maxime ! Je te parle !

Il lève paresseusement les yeux vers elle.

— Quoi, Janie ?

– J'étais en train d'oublier… Il y a un homme qui est venu te voir. Je lui ai dit que tu étais malade.

– Un homme ? Quel homme ?

Janie hausse les épaules.

– Aucune idée ; il m'a pas dit son nom. Il était assez costaud et avait une horrible cicatrice sur la joue.

Une cicatrice !

Il n'y a plus de doute : son poursuivant connaît son adresse. Surtout, ne pas s'affoler devant sa famille, pour ne pas les inquiéter davantage. Il avale sa salive avant de parler.

– Et… qu'est-ce qu'il a dit ensuite ?

– Il a dit de pas prendre la peine de te déranger. Il repassera plus tard, ce n'était pas urgent. Et il a dit ça avec un drôle de sourire. Il avait l'air bizarre, en tout cas.

Maxime est pris au piège dans sa propre demeure, son ultime refuge ! Il ne peut pas rester là comme un âne et attendre le retour de son étrange visiteur. Revient alors au galop cette sensation de vertige. Il doit quitter cet endroit au plus vite, s'esquiver d'une attaque qui pourrait lui être fatale. D'un bond, il se lève de table.

– Hé ! Pas si vite ! intervient Raymond, son père. Assieds-toi. On a besoin de discuter.

Il obéit.

– Maxime, ton comportement est bizarre. Tu t'enfermes dans ta chambre, tu ne dis plus un mot et tu paniques quand ta sœur te dit qu'un homme est passé te voir.

– Si tu as un problème, n'importe lequel, on veut que tu nous en parles, poursuit sa mère. Ensemble, on pourrait le régler.

Un problème… Se faire harceler jour et nuit par une bande de personnages bizar-roïdes qui veulent sa peau, cela entre sûrement dans la catégorie « problème » ! Mais un problème qu'il doit résoudre lui-même. Aucune aide extérieure permise ; c'est dans le livret des règlements. Respecter la loi du silence, même si cela signifie provoquer l'inquiétude de ses parents.

– Qui est cet homme ? demande sa mère.

Maxime hausse les épaules.

– Aucune idée.

– Ne mens pas comme ça ! s'impatiente son père. Si cet homme te menace, on doit intervenir tout de suite.

Raymond baisse le ton avant de poursuivre.

– Est-ce que cet homme te harcèle pour de la drogue ?

– De la drogue ! s'exclame l'adolescent. Tu sais bien que je touche pas à ça ! Puisque je vous dis que je ne connais pas cet homme !

Il se lève en prenant son assiette. Son repas, à peine entamé, se retrouve au fond de la poubelle.

– Je vais me promener à bicyclette. L'air frais va sûrement me faire du bien.

En moins de deux, il agrippe son manteau et claque la porte. Dehors, l'atmosphère sombre annonce la pluie. Filant à vive allure, il se laisse fouetter par le vent. Cette aventure est en train de le rendre fou. Il caresse l'espoir de s'être mépris sur tout : le jeu d'enquête, les meurtres des concurrents, le poursuivant aux intentions hostiles. La situation n'est peut-être pas aussi menaçante qu'elle le paraît. Il souhaiterait tellement que ce scénario soit du cinéma. Malheureusement, aucune caméra ne capte sur pellicule ses prouesses. Cette fois, c'est la réalité.

Il sillonne de petites rues où règne le calme. Inhabituelle pour un vendredi soir, cette tranquillité doit sûrement camoufler un danger. Son secret autrefois si excitant le ronge maintenant à petit feu, comme un virus qui parcourt l'intérieur de son corps en y semant de vilaines tumeurs.

Maxime adopte une cadence frénétique, sans destination précise ; le stratagème est de rester continuellement en mouvement. Son esprit se brouille à chacun des coups de pédale qu'il donne. À l'intersection suivante, le flux des voitures sur le boulevard le contraint à s'immobiliser. Dans un bruit de moteur évoquant une affreuse toux, une luxueuse voiture noire aux vitres teintées s'immobilise à ses côtés. Enfin, la voie est libre. Il prend quelques secondes avant de choisir la direction à prendre. La voiture semble s'attarder également. Il finit par s'engager vers la droite.

Mouvement répété par l'automobiliste !

D'accord, il n'y a pas de quoi s'affoler. Il n'aime pas l'idée qu'une voiture le suive. Ainsi, il ralentit afin qu'elle le dépasse, mais elle le talonne toujours. Il bifurque vers la droite dès l'intersection suivante. La voiture fait de même. Cette fois, il décide de modifier sa tactique pour s'en débarrasser et accélère. Il entend toujours le moteur vrombir derrière lui. Il effectue un autre virage à droite.

L'automobiliste aussi.

Sentant l'adrénaline monter en lui, Maxime veut en avoir le cœur net. Il emprunte la rue suivante, toujours à droite. La voiture tourne... à droite ! Ou elle tourne en rond, ou elle le poursuit.

Le cycliste dévale la rue jusqu'à une artère achalandée. Il sent les phares de l'automobile posés sur lui, comme des lasers flamboyants qui lui déchirent le dos. Il pédale toujours plus vite.

Mais qui est donc ce chauffard endiablé ? Le poursuit-il depuis chez lui, après avoir tranquillement fait le guet ? Cette idée le frigorifie. Les hommes de l'agence l'attendront à chaque détour pour lui rappeler cruellement que le jeu n'est pas encore terminé.

Mijotant un plan, Maxime s'engage à toute vitesse dans une ruelle bordée de branches d'arbres dangereuses, sans oser se retourner. Derrière lui, il entend la voiture s'approcher. Il s'imagine ressentir la même sensation qu'un toréador qui agite une étoffe rouge sous les yeux d'une bête fougueuse. Ses muscles le font souffrir. Non ! Il ne faut pas qu'ils flanchent, pas maintenant ! Sinon, il sera déchiqueté. Selon son plan, la ruelle le conduit bientôt à l'embouchure d'un stationnement souterrain, où les multiples colonnes de ciment lui serviront de remparts contre son agresseur.

Le cycliste affolé bifurque à gauche, contourne les véhicules stationnés, emprunte une petite voie à droite. Le crissement des pneus de l'automobile sur le pavé sec résonne dans le stationnement dépeuplé, comme dans un vrai jeu d'arcade. La partie est serrée, les adversaires se livrent une lutte sans merci.

Vite ! Il doit atteindre cette petite ouverture au bout du stationnement, où son agresseur devra nécessairement abandonner sa cage de fer pour poursuivre la course. Ou bien il abdiquera tout simplement. Il négocie un ultime virage serré, et appuie à fond sur les freins du vélo. Une solide clôture obstrue le passage. Cul-de-sac ! Derrière, le bolide se rapproche dangereusement.

Désespéré, Maxime abandonne sa bicyclette et s'avance vers la clôture, qu'il tente de dégager. Peine perdue. Pris au piège, il cesse de secouer la grille de métal. Lentement, comme pour affronter l'ennemi dans un duel d'enfer, il se retourne. La voiture noire a disparu. Le stationnement est redevenu silencieux. Mais elle était là il y a deux secondes, fonçant droit sur lui !

Son pouls commence à retrouver un rythme normal. Il se convainc partiellement de sa victoire, alors qu'il remet sa bicyclette debout. À ce moment, une autre voiture apparaît dans le stationnement. Elle semble se diriger vers lui, tout en douceur.

Le jeune homme reste figé, pendant que le véhicule se gare à ses côtés. Les phares l'empêchent de voir le conducteur. Il suffoque. Après d'interminables secondes, la portière s'ouvre dans un grincement sinistre. Une ombre se profile derrière la portière, qu'on referme d'un geste presque nonchalant. Lequel des hommes de l'agence s'occupera de l'éliminer définitivement du jeu ? Va-t-on apposer le logo sur la photo de Maryse Picard ? Une septuagénaire fait quelques pas dans sa direction, tout en faisant claquer les talons de ses souliers sur le pavé. Elle le fixe d'un regard inquiet.

– Ça va, petit ? J'ai entendu des crissements de pneus…

Il est interloqué. Une bonne samaritaine vient prêter main-forte à un adolescent en danger, sans craindre elle-même de se faire attaquer ? Non, il doit s'agir d'une mise en scène concoctée par les hommes de l'agence. Mais ils n'auront pas sa peau de cette façon !

La dame attend une réponse à son interrogation. Ne détournant nullement son regard d'elle, comme pour tenter d'y déceler une étincelle de trahison, Maxime enfourche sa bicyclette. Ses mains tremblotantes le font dévier quelque peu. Il rase le côté passager de la voiture de la dame et file à travers le stationnement pour s'éloigner de ce théâtre infernal.

Poursuivre son escapade ou retourner se terrer chez lui ? Les deux possibilités comportent autant de risques pour sa survie. Nul endroit en ce monde n'est sécuritaire. Il veut seulement se reposer en paix. Ayant épuisé toutes ses ressources et abandonnant l'idée de coucher à la belle étoile, il finit par retourner à la maison.

※

Le samedi matin, Maxime est encore fiévreux. Mais il doit se remuer un peu.

Il se lève d'un coup pour se diriger vers la douche. Le jet d'eau froide saura le revigorer. En vain. Son esprit reste monopolisé par les intrigues de l'agence. Toutes ses énergies y passent. Il se sent faible.

Il coupe le jet d'eau. Son corps encore ruisselant reste immobile un instant au milieu de la douche. Son âme bascule dans la même indécision que la veille : passer une autre journée entre quatre murs à craindre une visite meurtrière, ou bien risquer une promenade à l'extérieur ?

On frappe soudain à la porte.

Le jeune homme sursaute et agrippe instinctivement une serviette.

– Maxime ? Qu'est-ce qui se passe là-dedans ?

Il regarde innocemment autour de lui, sans répondre.

– Ça fait presque une heure que tu es là, s'inquiète sa mère. Es-tu malade ?

Il enfile en vitesse le pantalon de son pyjama avant d'ouvrir la porte. Un nuage de buée fumante se répand dans le couloir.

– Non, maman. Tout va bien, lance-t-il en filant droit vers sa chambre, laissant sa mère perplexe.

Il s'habille et passe la main dans ses cheveux pour les assécher un peu. Il devrait téléphoner à Sophie, mais il y renonce aussitôt.

Il descend au sous-sol, s'assoit sur le tapis, le dos appuyé contre le divan, allume la télé et se met à zapper comme un robot, pendant que ses yeux vitreux fixent l'écran.

Une fin de semaine de repos complet devrait l'aider. Ainsi, il sera beaucoup plus en mesure de faire le point sur la situation. Mais pour l'instant, il ne laissera rien le perturber.

À peine cette décision prise, le jeune homme sursaute au son de la sonnerie irritante du téléphone. Non, il ne répondra pas. Il ne veut plus être dérangé.

– Maxime ! crie sa mère de la cuisine. Peux-tu répondre, s'il te plaît, j'ai les deux mains dans la vaisselle !

Un deuxième coup retentit comme une fausse note. Puis un autre.

— Maxime ! le téléphone ! rétorque-t-elle de plus belle.

Il tourne la tête vers l'appareil. Non, il ne répondra pas...

Il sonne encore.

Assez ! Ne pouvant plus supporter l'horrible timbre du téléphone, il saisit le récepteur.

— Allô ! lance-t-il d'un ton sec.

Le bruit le plus angoissant lui siffle alors à l'oreille : le silence. Un silence annonciateur du retour imminent d'un personnage de l'agence. Sans perdre une seconde, il raccroche brutalement le téléphone et se soulève d'un bond. Il grimpe l'escalier. Devant la vive allure de son fils, sa mère l'interroge :

— Qui a téléphoné ?

— Personne, marmonne-t-il en se dirigeant d'un trait vers la porte d'entrée qu'il ouvre.

Boum ! Son élan est amorti par un mur de chair et d'os qui se tient debout sur le perron.

Chapitre VII

Le visiteur

CETTE APPARITION SURPRISE continue d'accélérer son pouls. Lentement, craignant de découvrir une horreur, il lève les yeux pour identifier son visiteur. Son ami Simon se tient bêtement devant lui. Presque aussi surpris que Maxime, il éloigne son téléphone cellulaire de son oreille et appuie sur une touche avant de le ranger.

Le cellulaire de Simon, l'appel anonyme : coïncidence ?

– Depuis quand as-tu un cellulaire ?

Le visiteur s'esclaffe.

– Salut à toi aussi, Max ! Ça va bien, merci de t'en informer. Et toi ?

Ce dernier n'est pas d'humeur à rigoler.

– Oui, mais t'as pas répondu à ma question : c'est nouveau le cellulaire ?

— Une semaine, se défend-il. Voyons, t'es ben bizarre, toi…

Une semaine. Il se remémore le coup de téléphone reçu le jeudi précédent alors qu'il allait se confier à Sophie. Un intrus aurait facilement pu espionner leur conversation au pied d'une fenêtre ouverte, et au moment de l'aveu, se servir d'un téléphone cellulaire, déguiser sa voix et s'amuser à le voir paniquer.

— Je ne suis pas d'humeur à voir personne, aujourd'hui. D'abord, qu'est-ce que tu viens faire ici ?

— C'est pas nécessaire d'être aussi bête. On s'était mis d'accord pour travailler sur notre projet de bio, tu te souviens pas ?

Le travail de biologie lui était complète- ment sorti de la tête.

— Écoute, on pourrait pas remettre ça à demain ?

— Impossible. J'ai un entraînement de natation toute la journée et je vais être com- plètement crevé !

— Lundi d'abord ?

— Le travail est à remettre lundi !

— Mais oui, mais c'est au quatrième cours. On fera ça sur l'heure du midi, c'est tout.

Simon le regarde d'un air soucieux.

— On n'aura jamais assez d'une heure pour le terminer. On avait l'intention de passer tout l'après-midi là-dessus.

Maxime laisse échapper un soupir. Il se retrouve coincé chez lui. Il ne faudrait surtout pas qu'un personnage de l'agence vienne lui faire une petite visite.

– On dirait que j'ai pas le choix.

– Comme tu dis ! J'ai pas le goût de couler ce travail-là ; j'ai besoin d'un bon résultat pour réussir le cours.

Il se retourne dans un geste apathique pour regagner l'intérieur de la maison. Sa liste noire est toujours active. Simon vient de s'y inscrire au crayon à mine ; s'il s'avoue inoffensif, il le retirera. Mais avant d'en obtenir des preuves tangibles, il restera en alerte jusqu'à son départ.

Son compagnon de travail le suit jusqu'à la table de la salle à manger, où ils s'installent. C'est un endroit stratégique : avec sa mère qui s'affaire juste à côté dans la cuisine, il n'osera jamais de manœuvres dangereuses contre lui. Comme si de rien n'était, son ami salue Mme Bilodeau. Quel hypocrite !

– Je vais aller chercher mes choses en haut, lance Maxime d'un ton bourru.

En montant, il scrute discrètement son coéquipier, à l'affût d'un seul geste qui pourrait trahir de mauvaises intentions. Ce dernier reste assis, impassible, en attendant son retour. Sa nonchalance semble douteuse.

Maxime ramasse au hasard des notes de cours et des livres qui sont éparpillés sur le plancher de sa chambre. En se relevant, son regard se pose sur la fenêtre. Il lui passe par la tête l'idée folle de se sauver par ce passage. Mais comment amortir une chute de deux étages ? En sautant, il se blesserait et deviendrait une proie vulnérable. L'occasion parfaite pour que ces détraqués l'éliminent.

Non, ce n'est peut-être pas une bonne idée après tout.

Il se désole de la situation, puis redescend. Simon a toujours sur le visage cette expression lymphatique, presque ironique. C'est irritant à la fin. Par chance, sa mère est toujours occupée dans la cuisine. Dans un bruit sec, il dépose son matériel sur la table.

— On ferait mieux de commencer tout de suite pour en finir le plus vite possible, lance-t-il avec détermination.

Il prend place à l'autre bout de la table, loin de son partenaire de travail. Les lectures sont ensuite divisées entre eux. Maxime se concentre difficilement. Il se méfie de Simon. Quand passera-t-il à l'attaque ? S'il attend de le prendre par surprise, il attendra longtemps, parce qu'il le garde à l'œil.

Les lettres du texte s'amusent à vaciller devant ses yeux. Malgré tout, il sort une feuille et se met à rédiger un compte rendu.

La voix de Simon le fait sursauter.

— Déjà finie la lecture ?

— Ouais ! Tu devrais te dépêcher, toi aussi. J'ai pas le goût de passer des heures là-dessus.

— Un instant ! Qu'est-ce qui se passe ? D'habitude, tu es beaucoup plus minutieux.

— Oui, mais là on n'est pas d'habitude, OK?
J'ai d'autres chats à fouetter, cet après-midi.

Son ami le regarde d'un air accusateur.

— D'accord. Je finis mon résumé, puis on
pourra commencer à répondre aux questions.

Vingt minutes plus tard, ils sont prêts à
entamer la deuxième partie du travail. Simon
parcourt sa pile de notes de biologie, appa-
remment à la recherche d'une feuille qui semble introuvable.

— Je pense que j'ai perdu mon questionnaire. Tu devrais venir t'asseoir ici, dit-il en
pointant la chaise à côté de lui. Je vais pouvoir
suivre sur le tien en même temps.

Aller s'asseoir aussi près de lui. C'est une
tactique pour mieux l'attaquer! Il n'en est pas
question. Il est tenté de lui faire accroire qu'il
a oublié son questionnaire à l'école, l'excuse
parfaite pour ne pas finir le travail aujour-
d'hui.

Malheur! Le questionnaire est resté bien à
la vue au beau milieu de la table. Vite, il faut le
récupérer et le cacher. Trop tard! Il l'a aperçu
et tend le bras pour le prendre.

Maxime se sent coincé. Il regarde vers la
cuisine; au moins sa mère y est toujours. Il
prend donc place aux côtés de son coéquipier.
Ses nerfs se crispent davantage.

Question un : réponse simple. Question
deux, trois et quatre : réponses à une phrase,
ça se fait vite. Question cinq : zut! réponse à
développement…

Soudain, la sonnerie stridente du téléphone lui met les nerfs en boule. Simon empoigne rapidement le cellulaire et le porte à son oreille.

– Allô ! Oui… Hum, non, pas encore. Oui, oui, je sais… Tout va bien. Je m'en occupe, ça sera pas bien long. Je te préviens dès que c'est fait.

Il raccroche. Les bribes de conversation sont bien suffisantes pour figer le sang de Maxime. Il en est certain : l'interlocuteur est l'un des responsables du jeu d'enquête, qui appelle son délégué pour s'assurer de l'exécution de la sinistre besogne : l'éliminer définitivement du jeu. Comment contrer un destin si cruel ?

Tout bonnement, dans la cuisine, sa mère s'essuie les mains, dépose le linge sur le comptoir et se dirige à l'étage en sifflotant.

Non ! Il perd son seul témoin ! Il voudrait la supplier de revenir au plus vite. L'occasion est maintenant parfaite pour Simon. Subtilement, il porte la main vers son sac d'école laissé sur la chaise à côté de lui, ouvre la fermeture éclair, plonge la main dans son sac…

Va-t-il en sortir le tampon encreur du jeu ?

Maxime se lève promptement de sa chaise et s'éloigne de son ennemi en le faisant sursauter.

– Essaye même pas, Simon ! Je sais ce que tu t'en allais faire, là… Je sais que tu fais partie de leur clan satanique…

L'accusé interrompt son geste pour le dévisager.

— Leur clan satanique ? Mais de quoi tu parles, Max ? Depuis mon arrivée, tu agis comme un monstre ! As-tu perdu la boule ou quoi ?

Perplexe, il fixe le traître sans rien dire. Un autre qui se fout de sa gueule !

— C'est quoi ton problème ? Je m'en allais juste prendre un paquet de gommes à mâcher ! annonce-t-il en le brandissant devant lui.

— Ah oui, et c'était qui, au téléphone ?

— Au téléphone ? C'était Tom.

Alors Tom est son complice ! Non, quand même, pas lui...

— Et qu'est-ce qu'il voulait, Tom ?

— Il voulait savoir si on avait bientôt fini notre travail de bio, et si on voulait aller jouer au billard, ce soir, avec les gars.

Sortir avec sa bande de copains ce soir ? Et combien d'entre eux tenteront-ils de l'éliminer ? Mais non, franchement, c'est ridicule. Son imagination va finir par l'achever. Ce sont ses amis, après tout, pas des mafiosi aguerris ! Ils réclament tout simplement sa présence. Il regrette aussitôt. Il croit opportun d'offrir ses excuses à Simon.

— Non, le billard, ça me dit rien. Je pense que j'ai pas tellement le goût de sortir, ce soir. Je suis crevé. En passant, je m'excuse si j'ai été aussi maussade aujourd'hui.

— Es-tu sûr que tout va bien, Max ? C'est vrai que tu es blême. Pour que tu préfères te reposer plutôt que sortir avec tes amis un samedi soir, ça doit être grave !

Le sourire revient petit à petit sur ses lèvres.

– Oui, ça va aller. C'est juste une accumulation de fatigue.

– Bon, comme on a fini le travail, je te dérangerai pas plus longtemps. Tu changes toujours pas d'idée pour le billard ? interroge-t-il en ramassant ses cahiers.

– Non merci.

– Si jamais ça te tente, tu sais où nous rejoindre.

– Oui. Salue les autres pour moi, d'accord ?

– C'est bien. À la prochaine ! Va te reposer, ça va te faire du bien.

Simon disparaît derrière la porte. Maxime ramasse ses effets sur la table et monte à sa chambre. Il verrouille la porte derrière lui et laisse tomber ses livres au hasard dans la pièce. Décidément, il a un urgent besoin de se détendre.

Le jeune homme allume la radio, trouve une chanson savoureuse, puis s'étend sur son lit, les bras croisés derrière la nuque. Il se concentre sur la musique, le rythme, les paroles, tout pour distraire sa pensée du jeu d'enquête. La voix du lecteur de nouvelles prend la relève :

En manchette aujourd'hui : les résultats de l'autopsie pratiquée sur le corps de Félix St-Arnaud, 22 ans, retrouvé mort dans un boisé près de l'autoroute 450 jeudi dernier, ont été rendus publics. Le jeune homme serait décédé des suites d'un empoisonnement. Un mystère plane toujours, puisque le poison en cause n'a pu être identifié. Étrangement, on a dévoilé également par communiqué qu'un poison pourrait avoir provoqué la crise cardiaque qui a coûté la vie à Xavier Fauteux, 37 ans, retrouvé mardi dernier dans une salle de bain de l'école secondaire Des Ruisseaux. On a affirmé que le corps de cet homme portait à la main le même logo que celui griffonné sur la photo retrouvée dans le manteau de Félix St-Arnaud. La police tente toujours de trouver une signification à ce mystérieux logo. On invite les gens qui possèdent des informations sur ces deux dossiers à communiquer avec les autorités.

Maxime suffoque.

Morts empoisonnés !

En une seconde, il a résolu l'équation. Le tampon encreur + le poison = deux participants éliminés.

C'est le tampon qui est empoisonné !

Il se trouve donc en possession d'une arme mortelle. Puis un souvenir le foudroie : il a lui-même éliminé Alexia Dumouchel. Maxime Bilodeau, un meurtrier ? C'est tout simplement inconcevable. Si cette fille est décédée, les médias ne l'ont pas mentionné.

Toujours à bout de souffle, il s'assoit au bord de son lit. À trop nager dans une incertitude aussi déchirante, il s'y noiera. Connaître la vérité est sa seule bouée de sauvetage. Il doit téléphoner à Alexia Dumouchel, entendre le son de sa voix au bout du fil, s'assurer qu'elle est bel et bien vivante.

Mais si elle ne répondait plus jamais… Mon Dieu, non !

Maxime reste immobile, la tête vers le plafond, comme s'il implorait le ciel de son innocence. Il regrette son goût de l'aventure.

Enfin, le pauvre baisse les yeux vers le téléphone posé sur sa table de chevet. Son geste est lent, comme s'il redoutait l'objet. Son regard dévie vers son bureau, où repose le tampon encreur.

C'est décidé : il téléphonera à Alexia Dumouchel.

Maxime prend une grande respiration. La sueur perle sur son front, son sang lui brûle la peau, son cœur bat dangereusement dans sa poitrine. Son corps s'agite par soubresauts lorsqu'il se presse vers la salle de bain.

❋

Heureusement, personne n'a été témoin de sa séance purgative. Épuisé, il réussit à se reposer pendant quelques heures. Vers la fin de l'après-midi, des coups timides résonnent contre la porte de sa chambre, l'extirpant de son sommeil. La porte, qu'il a oublié de verrouiller, s'entrouvre.

– Maxime ? murmure sa mère.

Ce dernier répond d'une syllabe inco-
hérente.

– On s'en va souper chez ton oncle Paul.
Est-ce que tu viens avec nous?

Il se retourne vers la porte entrebâillée.
Pendant son mouvement, son regard inter-
cepte son réveille-matin : 16 heures 48. Il a
l'impression d'avoir passé toute une nuit sur la
corde à linge.

– Bof... gémit-il. Je pense que je ferais
mieux de rester ici et me reposer encore un
peu.

Sa mère s'inquiète de sa réponse.

– Est-ce que tu fais encore de la fièvre?
Peut-être que tu es en train de couver une vilaine grippe. J'ai des médicaments dans la
pharmacie si...

– Non, je suis pas malade, juste fatigué.
J'ai mal dormi la nuit dernière.

– Tu me le dirais s'il y avait quelque
chose, hein Maxime?

Il échappe un léger soupir.

– Bien sûr, maman.

– D'accord. On ne devrait pas rentrer
trop tard. Si tu as faim, il y a du poulet dans le
frigo, et si tu...

Il se met à marmonner. Sa mère comprend
alors qu'il veut qu'elle lui épargne ses conseils.
Elle s'éclipse donc pour le laisser se ren-
dormir. Aussitôt, il se redresse brusquement
dans son lit ; l'alerte vient de sonner dans son
esprit.

– N'oublie pas de bien verrouiller toutes les portes et les fenêtres ! crie-t-il de sa chambre.

– Bien sûr, rétorque sa mère, à quelques pas de la porte de la chambre qu'elle vient tout juste de refermer.

Une fois sa mère descendue au rez-de-chaussée, le jeune homme se lève en douceur et s'efforce de ne pas faire de bruit lorsqu'il enclenche le verrou de sa porte. Il ne faudrait surtout pas qu'une mauvaise surprise l'attende à son réveil. Il retourne dans son lit et résiste difficilement au sommeil qui finit par l'engloutir.

Un craquement.

Maxime tend l'oreille. Il reste silencieux dans le noir, en position de guet, encore quelques secondes. Ses yeux captent les chiffres lumineux du cadran, qui projettent dans la chambre une mince lueur rougeâtre.

21 heures 08.

Cette fois, c'est un bruit de métal !

Un intrus est-il en train de forcer la serrure ?

Il s'agrippe au rebord de son lit. Son store vient de claquer sur le mur. Le vent se lève. Un éclair jaillit en une blancheur lumineuse, suivi d'un coup de tonnerre. Petit à petit, il se remet de ses palpitations. Ce n'est qu'un orage.

Il se lève, laisse le temps à ses yeux de transpercer l'obscurité, puis tire le store vers le haut. Il regarde vers la galerie de la cour arrière, vers le carillon suspendu. Otage de la tempête, il gémit son tintement glacial : ding... ding... dong...

Maxime ferme la fenêtre de sa chambre pour faire taire le ricanement horripilant du vent. Il se rend au rez-de-chaussée, y allume les lumières et s'assure que portes et fenêtres sont bien verrouillées.

Il s'arrête au salon, s'obligeant à rester calme. Il ne peut s'empêcher de penser à ce bulletin de nouvelles à la radio.

Le tampon encreur empoisonné...

Pourquoi les hommes de l'agence voudraient-ils empoisonner les participants ? Le jeu d'enquête ne doit certainement pas avoir été organisé à cette seule fin macabre. On ne tue pas des innocents comme ça, par pur plaisir. À moins d'être totalement débile.

Il devrait aller livrer son arme à la police et dévoiler l'existence du jeu d'enquête. Tout serait enfin terminé, et il pourrait reprendre sa vie d'adolescent.

Impossible. Les hommes de l'agence ont filé à l'anglaise. Si son tampon n'était pas empoisonné, les policiers ne croiraient pas un mot de son histoire et le penseraient fou. Inversement, s'il l'était, Maxime risquerait de se retrouver sur la liste des suspects. Ils finiraient bien par savoir qu'il était sur les lieux du crime avant que le concierge découvre le premier corps dans les toilettes. Non, il doit éliminer cette possibilité. Au moins jusqu'à ce qu'il ait résolu lui-même le mystère de l'agence Mirage.

Visiblement très rusés, ces hommes sont capables des pires atrocités. Ils agissent avec efficacité. Quelles autres intentions maléfiques cachent-ils ? L'adolescent s'efforce de puiser dans son imagination fertile, dans le souvenir de tous ces films policiers qu'il a vus, à la recherche d'une piste. Peine perdue ! Il n'arrive tout simplement pas à comprendre comment des esprits peuvent être aussi tordus.

Les gargouillements de son estomac vide le rappellent à ses sens. Il se dirige vers la cuisine et ouvre la porte du réfrigérateur. La dépouille d'un poulet à moitié entamé gît mollement dans son assiette. Il fait la moue. Toujours rongé par la faim, il se rabat sur le macaroni au fromage. Il sort une casserole et l'emplit d'eau. Planté à côté de la cuisinière, il fixe béatement l'eau qui tarde à bouillir avant d'y incorporer les pâtes.

Maxime sent tout à coup une présence derrière lui. Il se retourne. Personne. Malgré tout, cette sensation d'être observé persiste. À tout moment, il jette un coup d'œil par-dessus son épaule.

Le macaroni est prêt. Il empoigne la casserole de ses mains tremblantes avant de faire quelques pas vers l'évier. À l'instant même, un éclair surgit et crache, à peine une seconde, une lumière éblouissante. Il a le réflexe de lever les yeux à la fenêtre de la cuisine, juste au-dessus de l'évier.

Ah ! Les deux yeux abominables, il les revoit !

Il tressaille. Le contenu fumant de la casserole se renverse sur son bras, avant que sa main meurtrie ne laisse tout se répandre sur le plancher.

— Aïe !

L'intrus a disparu. Néanmoins, Maxime hésite à s'approcher de l'évier pour soulager sa blessure. Il se tient bêtement au milieu de la cuisine, apeuré et souffrant.

Son intuition était donc fondée. Quelqu'un rôde autour de la maison pour l'espionner. Peut-être sont-ils nombreux ? Peut-être que la maison est cernée ? Peut-être préparent-ils d'un instant à l'autre une attaque ?

Vite ! Il faut agir !

Il en oublie complètement sa brûlure et se met à fermer stores et rideaux de toutes les fenêtres du rez-de-chaussée. Il éteint les lumières. Ainsi, ils ne pourront plus le repérer.

Cette fois, un bruit métallique provient de la porte d'entrée. Quelqu'un tente d'enfoncer la serrure. Il lui faut une arme pour se défendre ! Son regard fait le tour de la pièce et s'immobilise sur le tisonnier près de la cheminée. Sans perdre une seconde, il s'en empare et s'approche de la porte.

Soudain, des faisceaux de lumière attirent son attention, puis disparaissent. Une automobile vient de se garer dans l'allée. Sûrement cette même voiture noire qui l'a pourchassé, la veille.

Il faut leur bloquer l'accès, c'est une question de vie ou de mort ! Maxime court chercher une chaise et la place sous la poignée de la porte. Puis, il pousse le divan contre la chaise, et la table du salon contre le divan. En deux temps, trois mouvements, une solide barricade est formée. Les cliquetis dans la serrure reprennent de plus belle. Il fixe le téléphone, hésite avant d'appeler du secours. Un écho résonne en son for intérieur :

N'oubliez pas que le jeu d'enquête se déroule dans le plus profond des silences. Autrement, ce serait beaucoup trop risqué…

Trop risqué ! Est-ce possible d'être plus en danger qu'en ce moment ?

Chapitre VIII

Le diagnostic

L A PORTE est rouée de puissants coups de poing. Maxime s'élance aussitôt dans l'escalier, abandonnant tout espoir d'appeler à l'aide. Il se défendra en solitaire, comme depuis le début du jeu d'enquête. Ainsi, il s'enferme dans la salle de bain à l'étage, se recroqueville dans un coin comme un enfant en pénitence, recouvre ses oreilles de ses mains pour ne plus entendre ces bruits affolants, et prie silencieusement pour que ses poursuivants rebroussent chemin.

※

Boum !
La porte de la salle de bain s'ouvre. Un frisson court le long de l'échine du jeune participant.

– Maxime…

Il lève la tête. Ses parents se tiennent dans l'embrasure de la porte ; le passe-partout est encore enfoncé dans la serrure. La panique se lit sur leur visage. À leur vue, l'adolescent se relève en un rien de temps.

– Est-ce que tu vas bien ? s'affole sa mère.

– Pour l'amour du ciel, veux-tu bien me dire ce qui s'est passé ici ? On a dû pratiquement défoncer la porte d'entrée parce qu'elle était barricadée, la maison est plongée dans le noir, il y a des macaronis plein le plancher de la cuisine et tu t'es enfermé dans la salle de bain !

L'intonation de son père oscille entre l'inquiétude et la colère. Son fils doit s'expliquer, sans pour autant se trahir. Encore une histoire à inventer pour taire l'existence de cette agence de malheur. Mais plus rien ne bouillonne dans son imagination. Une ressource épuisée. Pris au dépourvu, il risque une explication banale :

– J'avais faim. Je suis descendu à la cuisine pour me faire cuire du macaroni. Comme je m'apprêtais à faire égoutter les pâtes dans la passoire, il y a eu un éclair énorme. J'ai aperçu quelqu'un à la fenêtre et j'ai échappé la casserole.

– Tu t'es brûlé ? Tu as une marque rouge sur ton bras, l'interrompt sa mère en examinant la blessure.

– Oui, mais c'est pas grave. J'ai paniqué parce que j'ai pensé que c'était un cambrioleur. J'ai barricadé la porte.

Son père fronce les sourcils.

– Pourquoi ne pas être sorti de la maison immédiatement pour appeler à l'aide ?

Parce qu'il ne peut pas dénoncer les hommes de l'agence Mirage. C'est la réponse qu'il voudrait lui donner, mais il la garde pour lui seul.

– J'ai paniqué, je ne savais plus que faire. J'ai pas eu le temps de penser avant d'agir, c'est tout. J'ai eu une peur bleue, alors je me suis réfugié ici en attendant.

Janie pointe son visage dans le chambranle de porte.

– J'ai toujours su que t'étais une vraie poule mouillée, Maxou plein de poux !

– Janie ! Veux-tu bien arrêter ça ! gronde son père. C'est pas le temps.

Et elle repart aussi subitement qu'elle est apparue.

– Tu dis que t'as vu quelqu'un rôder autour de la maison ? interroge son père.

Il hoche la tête.

– On devrait peut-être aviser les policiers et leur demander de surveiller le quartier.

– Non ! lance-t-il. Non, c'est pas nécessaire. J'imagine que vous l'avez fait fuir en arrivant. À bien y penser, je suis plus si sûr d'avoir vu quelqu'un. C'était peut-être mon propre reflet.

– C'est possible, mais je vais quand même aller jeter un coup d'œil autour de la maison.

– Fais attention, Raymond ! lance madame Bilodeau. Et toi, viens ici que je m'occupe de cette vilaine brûlure.

Une fois le pansement fait, il reprend le chemin de son lit. Ses pensées continuent de s'enliser dans des jeux de poursuites interminables. C'est épuisant, mais paradoxalement, il a peine à s'endormir.

✳

Dormir, manger, dormir. Dormir encore un peu. Ce sera l'horaire du dimanche de Maxime Bilodeau. Sous aucun prétexte, il ne se pointera le nez à l'extérieur pour s'oxygéner ; le drapeau blanc n'est pas encore dressé. Il préfère conserver l'air vicié de ses poumons qui le cloue dans cet état latent. C'est peut-être toxique à long terme, mais au moins, ça l'empoisonnera à petit feu, sans trop de douleur. Pas comme le venin cruel des tampons encreurs.

Une première tentative d'extirpation est entreprise par Sophie, venue lui rendre visite. Manifestement, elle s'est déplacée pour rien. Dès qu'elle franchit le seuil de la chambre, il se retourne vers le mur opposé. Il se sent incapable de la regarder dans les yeux ; il risquerait d'y apercevoir son propre reflet, reflet odieux de la victime et de l'assassin réunis. Non, avec elle, il vaut mieux rester flegmatique pour ne pas éclater.

— Mon gros bébé dort encore ?

Il reste immobile sous les couvertures. Elle hausse le ton.

— Tu ne me dis même pas bonjour ?

Rien à faire : il ne bronche pas. Elle sait qu'il fait semblant de dormir.

– Bon, tu m'ignores, maintenant ? Tu veux plus me voir ? C'est quoi le problème ?

Toujours pas de réaction.

– Ah ! et puis va donc au diable ! Moi, j'ai mieux à faire que de tenir compagnie à un zombie, rage-t-elle avant de s'éclipser.

Il ne cherche pas à la retenir. Plus tard dans l'après-midi, c'est au tour de son ami Tom de lui téléphoner.

– Mais qu'est-ce qui se passe avec notre gars de *party* préféré ? s'inquiète-t-il.

– Bof, je suis trop fatigué, c'est tout.

Maxime n'a pas besoin d'en rajouter. L'hésitation dans sa voix est évocatrice. Compréhensif, Tom met rapidement fin à la conversation pour lui permettre de se reposer, en le prévenant à la blague qu'il doit être en forme pour la prochaine partie de soccer.

À leur tour, ses parents lui reprochent son manque d'énergie. Leur cher fils n'a vraiment pas l'air de bien aller. Se serait-il passé quelque chose entre Sophie et lui ? Ou une dispute avec ses copains ?

Il regrette d'indisposer tout le monde. La rage monte en lui : il maudit ce jour fatidique où il a trouvé cette annonce du jeu d'enquête. S'il avait su quel rôle lui réservait le scénario de l'agence Mirage, il aurait déchiré cette feuille en mille morceaux, qu'il aurait ensuite noyés au fond de la flaque de boue.

Il songe à tous ces vestiges de l'agence Mirage qu'il conserve dans sa chambre comme une collection d'objets profanés : l'affiche, la photo, la carte de l'agence et... le tampon encreur.

Depuis la veille, il n'a pas bougé du bureau ; il ose à peine s'en approcher. Il voudrait détruire tous ces objets, mais ceux-ci pourraient servir de preuves dans un éventuel procès.

Il se calme un peu, puis descend au salon. Par la fenêtre, il observe le coucher du soleil. Ce tableau ne dilue pas son angoisse, mais lui rappelle le temps qui file, et ce que le lendemain lui réserve : l'école. Il devra abandonner sa forteresse pour se jeter dans la foule. Dans la gueule du loup ! Il ne lui reste plus qu'à patienter et à espérer que ses poursuivants s'acharnent maintenant sur une nouvelle cible.

Il en a marre d'attendre et d'espérer. En remontant à sa chambre, le jeune homme prend conscience de la richesse de son existence d'autrefois, parsemée d'agréables épisodes : les doux moments avec Sophie, les soirées passées à se bidonner avec ses amis, la ligue de soccer, la fierté de ses parents pour ses accomplissements scolaires et sportifs. Peut-être regagnera-t-il dès demain sa liberté ?

Cette vague d'espérance le berce jusqu'au lendemain matin et un soleil radieux contribue à son réveil. Il se sent trituré par deux forces opposées : l'une, plus optimiste, lui prescrit une sortie dans la fraîcheur extérieure ; l'autre, beaucoup plus craintive, remonte à l'assaut en lui donnant des papillons au ventre.

Déjà 7 heures 55. En temps normal, Maxime est levé depuis près d'une demi-heure et s'apprête à partir pour l'école. Mais, ce matin-là, la porte de sa chambre est toujours close. Soucieuse, sa mère entre pour aller réveiller son fils.

— Allez, debout ! Tu vas être en retard !

Il pousse un gémissement.

— Je peux pas me lever, maman. J'ai un mal de ventre terrible, on dirait que ma tête va exploser. Je me sens tout engourdi.

Ces symptômes l'inquiètent. Elle lui passe une main sur le front : il est bouillant.

— Tu dois certainement avoir attrapé un virus. Je ferais mieux de t'amener à la clinique.

— Oh non ! maman… c'est pas nécessaire. Ça va passer, inquiète-toi pas.

— Non, non, insiste-t-elle. Ça fait déjà trois jours que tu passes au lit ! Je vais appeler à l'école pour les aviser de ton absence. Pendant ce temps-là, je veux que tu te lèves et que tu te prépares, compris ?

Il n'a pas grand choix. De peine et de misère, il s'extirpe de ses couvertures pour s'habiller.

La salle d'attente est bondée. Maxime prend une revue au hasard avant de s'asseoir. Sa lecture est futile ; chaque fois que la porte d'entrée bouge, il lève les yeux pour observer le nouveau venu. Malgré lui, il redoute qu'un des personnages de l'agence fasse irruption. Il dépose donc le magazine, dans le but de concentrer son attention sur son environnement. Deux heures passent avant qu'on l'appelle.

Après l'examen, le médecin énonce son verdict : surmenage. Pour seule médication : une semaine de repos complet. Maxime essaie de retenir un sourire. Il est au paradis ! À cent kilomètres de s'en douter, le médecin vient de lui fournir l'excuse parfaite pour ne plus quitter le refuge de sa maison. Ce laps de temps sera peut-être suffisant pour décourager définitivement ses poursuivants et les inciter à miser sur une nouvelle cible. Ce serait le bonheur.

Son angoisse s'allège déjà.

❈

En commençant par la rubrique des sports, Maxime tourne les pages du journal local, édition du jeudi 6 mai. Rien d'intéressant. L'heure tardive n'a pas grande importance pour lui ; il se fiche bien d'être encore en pyjama et de n'avoir rien accompli de bon. Quatre jours seulement à jouer à l'ermite l'ont rendu paresseux. Curieusement, son oisiveté s'avère efficace pour évincer ses craintes. Plus de jeu d'enquête, plus de poursuivants déchaînés, plus de participants assassinés, plus de dispute avec Sophie, qui doit l'avoir oublié. Il veut profiter de son congé pour ressourcer son corps et son esprit. Surtout son esprit.

Il parcourt une dernière page du journal. Un titre accroche son attention : *Appel anonyme au sujet des cadavres empoisonnés.* Ça y est. Sa thérapie vient d'être suspendue. Il s'empresse de lire la dépêche.

> À la suite d'un appel anonyme reçu hier matin, la police poursuit son enquête sur la mort suspecte de Xavier Fauteux et de Félix St-Arnaud, survenue la semaine dernière. Le mystérieux signe imprimé sur la main du premier et dessiné sur une photo retrouvée sur le corps de la deuxième victime, correspondrait au logo d'une agence professionnelle qui organise un « jeu d'enquête », où chacun des participants doit retrouver une cible humaine. L'informateur n'aurait pas fourni plus de détails.

Un participant a donc osé téléphoner. Quel brave ! Plutôt, quel imprudent ! N'a-t-il pas encore compris avec quelle rage meurtrière opèrent les hommes de l'agence Mirage ? En un rien de temps, ils retraceront ce délateur et lui feront payer cher d'avoir transgressé la loi du silence.

Il tourne la page du journal. Ce faisant, son regard capte le titre suivant :

Jeune fille retrouvée inconsciente en bordure du parc Desneiges.

Le parc Desneiges ! Maxime le traverse régulièrement pour se rendre à l'école. En fait, c'est à cet endroit fatidique où tout son cauchemar a débuté ; il y a fait la sale découverte de l'annonce du jeu d'enquête. Le cœur battant plus fort, il lit aussitôt l'article.

Vers 1 heure 30 mardi soir dernier, Roxane Fortin, 18 ans, a été découverte inconsciente dans le parc Desneiges, allongée tout près d'un buisson. Elle a été transportée à l'Hôpital Général où elle repose dans un état stable. Elle porte au cou ce même logo qui serait relié à la mort suspecte de Xavier Fauteux, 37 ans, et de Félix St-Arnaud, 22 ans. La police apprenait hier, par la voie d'un appel anonyme, que ce logo serait celui d'une agence responsable d'un jeu d'enquête.

Questionnée à ce propos, la jeune fille affirme ignorer l'origine de la marque sur son cou. D'ailleurs, elle dit ne garder aucun souvenir des heures précédant l'incident. Selon plusieurs témoins, elle aurait quitté seule vers 23 heures une fête d'amis, sans aucune marque au cou. À l'hôpital, les examens du sang indiquaient un taux d'alcool anormalement élevé. Selon le docteur Sansregret, la quantité excessive d'alcool ingurgitée en un court laps de temps serait la cause de cette amnésie, et aurait du même coup fait sombrer la jeune fille dans un état d'inconscience. Évitant un rapprochement trop hâtif avec les dossiers sur lesquels elle enquête présentement, la police émet l'hypothèse qu'un plaisantin ait profité de l'ivresse de la victime pour lui dessiner la marque mystérieuse sur la peau. Roxane Fortin devrait recevoir son congé de l'hôpital jeudi.

Bien qu'aucune trace de violence ou d'agression sexuelle n'ait été décelée sur le corps de la victime, on demande aux usagers du parc Desneiges et des alentours de rester vigilants et d'alerter les autorités policières de tout événement inhabituel.

Les policiers sont complètement bernés ! Le signe mystérieux dessiné par un plaisantin ? Foutaise ! C'est encore une fois l'œuvre maligne des petits Picasso de l'agence. Roxane Fortin est la plus récente victime du jeu d'enquête à porter l'empreinte de malheur. L'estampille était-elle destinée à l'empoisonner, comme ses deux prédécesseurs ? Si c'est le cas, la dose n'était pas suffisante pour causer la mort.

Avec Félix St-Arnaud et Xavier Fauteux, les victimes du jeu d'enquête se chiffrent à trois : deux morts et une survivante. La dernière était-elle une erreur de parcours ? Non, sûrement un stratagème bien ficelé. Qui sera la prochaine victime ? Quel sort lui réservera-t-on ?

Assez ! Les complices de l'agence Mirage doivent être arrêtés, et Roxane Fortin est la seule personne qui puisse l'aider à les retracer. Ils uniront leurs forces tous les deux. Il s'agit seulement d'obtenir un petit entretien privé avec elle.

Comme il examinait autrefois ses cibles, le jeune participant examine la photo de Roxane Fortin dans le journal. Heureusement, elle a accepté de publier sa photo pour permettre à des innocents de se méfier. La photo publiée a été prise à l'hôpital. Juste au-dessus de la tête du lit, Maxime reconnaît le motif né au hasard de l'écaillage de la peinture sur le mur. C'est l'éléphant qui portait en bandoulière une soucoupe volante miniature, image à partir de laquelle il avait inventé une série de dessins animés, pendant son séjour à l'hôpital lors de l'ablation de ses amygdales, il y a à peine un mois. C'était la chambre numéro 205.

Ressaisi par l'espoir, il s'habille en vitesse. Deux minutes plus tard, il enfourche sa bicyclette, le journal entre les mains. Destination : l'Hôpital Général.

L'adolescent court vers les ascenseurs, appuie sur le bouton, se meurt d'impatience. Les portes s'ouvrent enfin ; quelques personnes s'y entassent comme dans une cage à rats. Ils affichent tous ce même air indolent. Beaucoup trop d'indolence synchronisée. Ça sent la magouille. L'article paru dans le journal est peut-être un piège pour l'attirer à l'hôpital. Il fait un pas en arrière, suivi d'un autre. Il doit absolument parler à Roxane. Les portes de l'ascenseur se referment sur ce troupeau de croque-morts. Il s'élance vers les escaliers.

Chambre 205. La porte est entrebâillée. Juste assez pour apercevoir l'éléphant transporteur de soucoupes volantes sur le mur défraîchi. Il est au bon endroit.

Sans frapper, il se permet d'entrer. La chambre n'a pas changé : toute petite, elle comporte un seul lit. Vide. Les draps sont soigneusement repliés. Ça y est, Roxane a reçu son congé. Les hommes de l'agence sont venus la chercher pour la conduire au sous-sol de l'hôpital.

À la morgue !

Chapitre IX

L'accidentée

DE L'AUTRE CÔTÉ du lit, juste devant la fenêtre, se profile à contre-jour la silhouette d'une jeune fille. Elle tient un sac à dos à la main.

— Où est Roxane Fortin ? se risque-t-il nerveusement.

La patiente se retourne. Son mouvement rend visible l'empreinte flamboyante sur la peau de son cou. Il voit défiler en une scène éclair le tampon qui entre en contact avec la chair.

— Qui es-tu ? répond-elle d'un ton inquiet.

Le son de sa voix l'arrache à cette pensée. Oui, c'est la fille dont la photo est dans le journal. Sa dernière lueur d'espoir ! Il décide de se dévoiler à cette participante inconnue.

— Je m'appelle Maxime Bilodeau. J'ai appris ton accident dans le journal, dit-il en lui tendant l'article.

La méfiance la fait reculer.

— T'es pas journaliste ?

— Non, non, la rassure-t-il. Je veux seulement te parler. Je suis dans le même pétrin que toi. On doit s'entraider.

L'accidentée ne bouge pas. Ça doit être la loi du silence qui la pétrifie.

— Comme les cadavres de Félix St-Arnaud et de Xavier Fauteux, qui sont morts empoisonnés, tu portes le stigmate sur ton cou.

Elle glisse sa main sur la marque mystérieuse, comme pour tenter de la faire disparaître.

— En additionnant un et un, une hypothèse se forme d'elle-même.

Il se mordille les lèvres lorsqu'il l'énonce :

— Je pense qu'on t'a fait cette marque avec un tampon encreur empoisonné.

Son interlocutrice semble surprise.

— Impossible. Sinon je serais morte, comme les deux autres. Le docteur Sansregret n'a décelé aucun poison dans mon sang. Les policiers ont sûrement raison : j'ai trop bu ce soir-là, et un petit futé s'est moqué de moi.

Il est hébété. Elle est porteuse de *la marque* et ne s'inquiète pas davantage pour sa vie ! En plus, elle gobe l'idée d'une plaisanterie.

— Franchement, Roxane, c'est pas une mauvaise blague, c'est le danger qui te guette à tout moment. Ce sont les membres de l'agence qui t'ont fait ça, j'en suis sûr. Ils t'ont éliminée du jeu tout en t'épargnant la vie.

Elle fronce les sourcils, puis inspire bruyamment.

– Un instant. Si je me fie aux informations que détient la police, tu parles de l'agence à laquelle serait rattaché ce logo que j'ai dans le cou ?

Maxime s'appuie les jambes contre le lit, tout près d'elle. Il explose :

– Mais oui ! L'agence Mirage, celle qui organise le jeu d'enquête auquel on participe ! Quoi d'autre ? Écoute, je subis présentement la même torture. C'est inutile de jouer les amnésiques avec moi. Oublie la fameuse loi du silence. Tu peux tout me raconter. Si on unit nos forces, on pourra mieux se défendre contre cette bande de voyous !

Effrayée, elle recule contre le mur.

– Mais tu dérailles complètement !

– Non, au contraire, je veux t'aider !

– Comme je l'ai répété tout l'après-midi hier aux policiers, j'ai aucune idée de ce que signifie ce logo dans mon cou et je n'ai jamais entendu parler d'une agence qui organise un jeu d'enquête.

– Viens pas me faire accroire que tu n'es pas une participante au jeu d'enquête.

– Je ne suis pas une participante au jeu d'enquête ! hurle-t-elle.

– Tu connais même pas l'agence Mirage ?

– Je connais même pas l'agence Mirage ! répète-t-elle, hors de ses gonds.

Pour renforcer la véracité de ses dires, elle secoue vivement la tête. Son attitude ne chasse pas pour autant le scepticisme de Maxime. La trame logique de cette histoire comporte un trou noir parmi tant d'autres : si Roxane Fortin ne s'est jamais inscrite au jeu d'enquête, alors comment se fait-il qu'elle porte au cou la marque de l'élimination ? A-t-elle réellement tout oublié de cette aventure ?

— Comme ça, tu souffres d'amnésie ?

Cette question l'embête.

— C'est le diagnostic du docteur Sansregret. Il dit que c'est à cause de l'alcool.

— Et tu crois que c'est plausible ?

La jeune fille échappe un soupir d'hésitation.

— Écoute : en deux jours, j'ai subi un interrogatoire de police et les questions interminables du journaliste. Alors là, j'ai vraiment plus le goût d'en parler. Surtout pas avec un inconnu qui me semble très louche, d'ailleurs.

Elle replace son sac à dos sur son épaule, prête à se diriger vers la sortie. Il fait un geste pour la retenir.

— Écoute, Roxane, je comprends parfaitement ton épuisement. Moi aussi, je suis épuisé à tenter de trouver un sens à toute cette histoire. J'ai besoin de ton aide. Absolument. Je n'exagère pas : les renseignements que je te demande si gentiment pourraient bien me sauver la vie.

Elle le fixe intensément quelques secondes avant de céder à sa demande.

– J'ai dû boire cinq ou six bières pendant la soirée, peut-être davantage, parce que je me souviens plus du tout d'avoir quitté la fête.

– Peux-tu me décrire le déroulement de la soirée?

– Pourquoi?

– Fais-moi confiance. Tous les détails sont importants.

Elle hésite avant de s'aventurer plus loin, puis continue:

– Je me souviens d'être arrivée chez mon amie vers 19 heures. La maison était déjà pleine à craquer; il y avait plusieurs personnes que je ne connaissais même pas.

– As-tu aperçu deux hommes dans la quarantaine, qui se ressemblent beaucoup, habillés en noir: un chauve, et l'autre plus corpulent?

– Non, il y avait personne d'aussi vieux.

– Un gars costaud avec une affreuse cicatrice sous l'œil droit?

Signe négatif.

– Non plus? Tu peux poursuivre ton histoire.

– J'ai pris une bière et je suis allée rejoindre mes amis. On a bavardé, bu et déconné un bon bout de temps, comme d'habitude, quoi...

– Vous êtes restés à l'intérieur de la maison toute la soirée?

– Oui, je pense. C'était trop frais dehors. Je dirais que la dernière fois où je me souviens avoir été consciente de l'heure, il était environ 21 heures 45. Après, plus rien. Mes amis disent que je suis repartie à pied toute seule vers 23 heures.

– As-tu été suivie par un inconnu au cours des deux dernières semaines ?

– Suivie ? Pas à ma connaissance. Mais il y a plusieurs trous dans ma mémoire en ce moment. Le docteur Sansregret croit que ça peut prendre plusieurs mois avant que je retrouve complètement la mémoire.

Maxime interrompt ses questions un instant pour clarifier ses idées. Est-ce que ce sont les hommes de l'agence Mirage qui ont provoqué l'amnésie de Roxane, dans le but de lui faire oublier quelque détail compromettant ? Ces monstres sont vraiment capables de tout.

Cette fille doit l'aider à les démasquer avant qu'ils s'en prennent à lui.

– Roxane, il faut que je te raconte mon histoire. Elle va sûrement te paraître bizarre, mais tu dois absolument m'écouter, je t'en supplie. Peut-être que certains détails vont éveiller des souvenirs en toi. On pourra alors trouver des réponses ensemble à tout ce mystère.

La jeune fille oscille entre deux options : fuir cet inconnu qui ne semble pas avoir toute sa tête ou bien l'écouter pour tenter de rassembler quelques morceaux de son propre casse-tête. Elle l'autorise à poursuivre, à son grand soulagement.

— Le vendredi 23 avril, j'ai trouvé un bout de papier dans la boue, au parc Desneiges. Ce fut l'épisode déclencheur de mon cauchemar.

D'une voix tamisée, Maxime lui raconte tout ; sa rencontre avec les deux hommes de l'agence ; les bribes équivoques d'une conversation dans le bureau ; le message anonyme dans sa boîte aux lettres ; les manifestations débridées du jeu d'enquête autour de lui ; le cadavre dans les toilettes ; les yeux menaçants à la bibliothèque ; la mort suspecte du jeune participant ; la découverte du local déserté de l'agence ; la poursuite infernale contre la voiture noire ; le tampon encreur empoisonné ; encore les yeux fous à sa fenêtre, pendant l'orage ; enfin, son accident à elle, Roxane Fortin.

Tout au long de l'épuisant récit, elle l'observe avec une expression d'incrédulité croissante. Il s'en désole. C'est peine perdue, cette fille n'accroche pas du tout à son histoire. Elle préfère croire qu'elle a été victime d'un simple plaisantin plutôt que de psychopathes. Assurément, ce choix est plus sain pour sa convalescence.

Lentement, il tourne le dos à la patiente pour s'asseoir sur le bord du lit. Elle en profite aussitôt pour se libérer et s'approcher de la porte. Il soupire presque pour lui-même :

— Tu n'es pas une participante au jeu d'enquête. Tu ne connais même pas l'agence Mirage… mais tu portes *la marque*, et tu es toujours en vie. Je ne comprends vraiment plus rien.

Il se couvre le visage avec les mains, pour cacher son désespoir. Roxane murmure avec compassion :

– Je crois que je t'ai écouté assez long-temps et je suis pas plus avancée. Je peux rien faire de plus pour toi. Tu devrais aller raconter ta « théorie de tampon encreur empoisonné » et d'« agence de psychopathes » aux policiers qui travaillent sur l'enquête. Avec un peu de chance, ils la prendront en considération.

Maxime secoue la tête.

– Je PEUX PAS leur en parler, tu comprends ? Tôt ou tard, les hommes de l'agence l'appren-dront. Ils sont partout, vraiment partout. Au moindre détour, cachés dans l'ombre, ils vont toujours m'attendre. De vrais barbares ! Si ja-mais ils découvrent que je les ai dénoncés…

D'un trait sec, sa main mime le geste de se trancher la gorge.

– Ils m'attendent, tu comprends ? Ils m'attendent…

Déboussolée par cette histoire rocambo-lesque, la jeune fille est soulagée de voir passer sa mère dans le couloir.

– Eh bien moi ! c'est ma mère qui m'at-tend ! Excuse-moi.

Il se lève vers elle.

– D'accord, je ne te retiendrai pas plus longtemps. C'est quand même gentil d'avoir pris la peine de m'écouter.

– Il n'y a pas de quoi, lance-t-elle d'un ton froid.

Elle s'apprête à quitter lorsqu'il la rappelle vivement.

– Tu devrais quand même faire attention. Ces rats t'ont épargnée cette fois-ci, mais peut-être que la prochaine...

Roxane Fortin ne le laisse pas terminer sa mise en garde. Elle s'éloigne d'un pas alerte.

Toujours sous le choc, il quitte à son tour l'hôpital pour retourner chez lui. Il monte aussitôt à sa chambre et s'assoit à l'indienne sur son lit pendant plusieurs heures. Il laisse divaguer ses pensées, comme s'il visionnait intérieurement le plus éclaté des films surréalistes, sur une pellicule abîmée.

❋

C'est vendredi soir, mais il s'en moque éperdument. Pas de sortie, pas d'amis, pas de copine. Une peur viscérale l'isole. Il a peur de s'aventurer à l'extérieur, peur de se faire attaquer par des visiteurs indésirables, peur d'avoir tué une concurrente, peur d'être rayé de la liste des participants, peur de tous ces traîtres qui peuvent le côtoyer, peur d'être devenu complètement toqué, peur de la réalité aux allures fictives, peur de la fiction drôlement réelle, et la liste s'étire...

La chaîne stéréo crache une forte musique dans le salon où il est assis. Son esprit ne filtre qu'un seul concept : l'écoulement du temps. Comme si chaque seconde pansait un peu de son mal à l'âme. Tic… prendre une grande inspiration. Tac… tout relâcher. Tic… ne pas péter les plombs. Tac…

Soudain, par la fenêtre du salon, Maxime entrevoit deux silhouettes qui se faufilent dans l'allée de la maison.

Chapitre X

La fête foraine

SOULAGEMENT ! Il s'agit de Tom et de Simon. Son instinct lui propose d'aller leur ouvrir, mais il se sent paralysé. Le soupçon inévitable refait surface : dans l'acte final du scénario intitulé *Maxime Bilodeau ou l'élimination du jeu d'enquête*, les protagonistes chargés de l'ultime besogne seraient nuls autres que ses meilleurs copains. Ses propres amis, au service de l'agence Mirage !

Voyons, c'est absurde ! Il coupe la musique et va ouvrir. Simon lui lance :

– Hé ! Max ! Qu'est-ce qui se passe, mon vieux ?

– On n'a plus de nouvelles de toi, renchérit Tom. On venait vérifier si t'étais encore en vie !

Encore en vie… Physiquement, oui, mais il ne s'est jamais senti le moral aussi bas. Rendu sur le perron, il s'appuie contre la porte refermée derrière lui, tout en agrippant solidement la poignée.

– Oui, je sais, mais je respecte l'ordonnance du médecin : « Repos complet pendant une semaine. »

Tom fait sentir son désaccord.

– Tu aurais pu au moins nous donner un coup de fil.

– Oui, on s'inquiétait de toi, nous autres. Depuis quelque temps, on a de la difficulté à te reconnaître, Max. T'es plus du tout comme avant. Je veux dire, rester enfermé chez toi toute la semaine, c'est vraiment pas dans tes habitudes.

– C'est vrai ça, ajoute Tom en hochant la tête. On s'ennuie de notre gars de *party* ! Alors, on a décidé de prendre les grands moyens et de venir te tirer d'ici de force ! T'as pas le choix, tu peux pas refuser ; on te kidnappe pour la soirée !

Il rit jaune au son du mot *kidnappe*.

– Oui, très drôle. J'apprécie l'initiative, mais c'est pas la peine d'insister. J'ai pas le goût de sortir, ce soir, je suis fatigué et…

– T'es fatigué ? l'interrompt Simon. Ça fait une semaine que tu dors ! Il est grand temps que tu te réveilles !

Qu'il se réveille de son cauchemar, oui, volontiers ! Tom s'avance vers lui et pose solidement la main sur son épaule.

– Plus d'excuses, cette fois. Une fête foraine se déroule en ville. T'es notre invité spécial.

– Oui ! On va s'amuser comme des petits fous. Les gars nous attendent déjà.

Il partage son regard entre Simon et Tom. Une fête foraine... Il est tiraillé par un dilemme : ses amis lui manquent terriblement, mais une fête foraine, ça attire immanquablement une foule, refuge parfait pour un psychopathe aux aguets, prêt à l'éliminer. Téméraire, Maxime décide de plonger.

– Parfait, vous avez gagné, annonce-t-il. Je vais chercher mon manteau.

La satisfaction illumine le visage de ses compagnons. Il rentre dans le portique, entrouvre la porte de la garde-robe et empoigne son manteau. Il s'apprête à ressortir, mais s'arrête d'un coup. Devrait-il apporter le tampon encreur ? S'il est véritablement empoisonné, il sera son arme de défense contre un agresseur éventuel.

Il court à l'étage. Le tampon se trouve sur son bureau. Il prend un gant de caoutchouc et l'enfile. Du bout de ses doigts, il s'empare de l'objet, déroule le gant par-dessus celui-ci et dépose le tout au fond de la poche de son manteau, avec l'affiche du jeu d'enquête, la carte de l'agence Mirage et la photo de Maryse Picard.

Le jeune homme prend une grande respiration, puis file rejoindre ses copains.

�֍

Leur groupe d'amis les attend à l'entrée de la fête foraine. Maxime est bien heureux de les retrouver. Paradoxalement, les manèges illuminés et les kiosques de barbe à papa se transforment bientôt en sources d'anxiété. Tom le fait sursauter en tapant d'une main robuste dans son dos.

— Alors, prêt pour le décollage ?

— Je vous suis !

Ça oui, il les suit ! Comme une mouche. C'est toujours bien mieux que de s'exposer dans la foule tel un gibier solitaire.

Le groupe fait la queue quelques minutes devant *l'Araignée de l'espace* avant de prendre place dans les chariots individuels. Lorsque la ceinture se boucle sur lui, son cœur s'essouffle dangereusement. Il se sent pris, coincé, traqué ! Dans l'immobilité la plus vulnérable. Tout à coup, le manège s'élance dans tous les sens, sous tous les angles. À travers les cris de joie, une oreille bien exercée distinguerait des hurlements de détresse. Heureusement, l'atterrissage se fait en douceur. En route vers la sortie du manège, l'adolescent a toujours le souffle court. Tom note son visage blême.

— Dis donc, Max, ça va ?

— Oui, oui, répond-il en essayant de se ressaisir. J'ai eu la nausée dans le manège. Ça doit être la fatigue.

— Voyons, il y a seulement les mauviettes qui sont malades dans les foires ! *L'Araignée de l'espace*, c'est de la petite bière à côté de ce qui nous attend !

— Inquiète-toi pas, Tom, je me sens déjà mieux.

— Bon ! ajoute-t-il fièrement. C'est exactement ce que je voulais entendre ! Allez, viens-t'en, les autres nous attendent.

Ils se frayent rapidement un chemin dans la foule. Derrière Tom, il scrute les alentours pour s'assurer qu'il n'y a aucune présence indésirable près de lui. Arrivé à destination, il fait en sorte que les membres du groupe forment autour de lui un mur de protection. L'échange de blagues n'arrive pas à le détendre ; impossible de détacher ses yeux de la foule grouillante. C'est comme une peur qui exerce une attraction maladive sur la foule...

Non ! C'est impossible !

Il secoue la tête, cligne des yeux. Non, ce n'est pas une hallucination. Ses mains moites se crispent, le sang afflue dans ses artères.

Là-bas... près de la billetterie. L'homme corpulent de l'agence Mirage ! Il en est certain, c'est bien lui. Est-il seul ?

Aussitôt, le désir de vengeance monte en lui.

— Je reviens tout de suite. Surtout ne bougez pas d'ici.

Sans attendre de réponse, Maxime se dirige vers l'homme, la main enfoncée dans la poche de son manteau, prêt à empoigner si nécessaire son seul moyen de défense. À la vue de l'adolescent fougueux qui se rue vers lui, l'homme se tourne rapidement pour l'affronter.

— Assassins ! Vous n'êtes que des assassins, toi et ta bande de complices ! Vous vous amusez à nous pourchasser comme du gibier ! Vous attirez vos victimes dans votre piège ! J'ai tout deviné, moi, oh ! oui… tout deviné.

Devant une telle scène, l'homme est complètement abasourdi. Il regarde l'adolescent d'un œil torve, comme si c'était lui le désaxé. Le pauvre se vide le cœur.

— Tout ce que je voulais, moi, c'était de mettre un peu de piquant dans ma vie, pas de me faire traquer par une bande de psychopathes !

L'homme paraît éberlué.

— C'est à moi que tu parles ?

— Oui, c'est à toi que je parle ! Il est grand temps de mettre un terme à toutes vos manigances ! Le chantage, c'est fini !

— Mais… de quoi parles-tu ? Je ne te connais même pas.

— Arrête de jouer les innocents ! Je sais très bien que ton partenaire et toi, vous êtes à l'origine du complot de l'agence Mirage ! Vous avez tué Félix St-Arnaud et Xavier Fauteux. Vous avez raté votre coup avec Roxane Fortin.

Des curieux s'approchent d'eux.

Le front de Maxime se couvre de sueur. Sa respiration devient haletante. Il regarde à gauche, à droite, à la recherche d'un agent de sécurité.

Aucun en vue.

Il se retourne vers l'homme.

Disparu.

Mais… comment… il se tenait là il y a une seconde. Il fait demi-tour vers ses amis.

Introuvables.

Il vacille.

Les yeux !

Déjà, il ne les voit plus. Il est sidéré. Il ne les voit plus, mais il sent toute leur froideur posée sur lui. Une froideur qui s'intensifie. Mauvais présage.

Des yeux vifs comme l'éclair. Leur méchanceté s'est fossilisée dans la cohue. Sournois comme un serpent, les yeux s'approchent dangereusement de leur proie.

Ah ! les revoilà tout près…

Son instinct de survie donne enfin la commande : fuir ! Maxime s'élance à travers la foule. Il heurte au passage des fêtards ; son corps se contracte. Trop de monde. Trop de contacts sur sa chair. Trop de possibilités qu'on lui transmette la marque fatale.

Le fuyard poursuit sa course. Tous les bruits confondus de la fête foraine s'orchestrent en une sarabande infernale. Il court, court encore, tourne la tête pour situer son poursuivant.

Tout près. Toujours plus près.

Ses muscles lui font mal. La foule… trop nombreuse, trop floue… Non, il ne doit pas se laisser éliminer.

Bientôt, il arrive aux limites du site : une large falaise impossible à escalader. Mais il ne peut rebrousser chemin.

Il se dirige vers la sortie. Miracle ! Une voiture de police !

Ah ! les lumières s'entremêlent, les couleurs, les sons, les visages… distorsion… flou, trop flou… plus de souffle… manque d'air, il ne peut plus respirer… Non, tenir bon ! Atteindre la voiture de police… la voiture… voiture… cris perçants, aigus… confusion… trop flou, flou, trop…

Maxime s'écroule sur le sol.

Chapitre XI

Désillusions

DES MURS BLANCS et une lumière grisâtre. Maxime reprend peu à peu conscience dans une chambre d'hôpital. Que s'est-il passé ? Dans un écho, il entend des rires saccadés.

Il bouge dans le lit, qui se met aussitôt à craquer. Le médecin se retourne.

Quoi ! Non, pas vrai… pas… C'est l'homme chauve de l'agence Mirage ! Ce fou en sarrau blanc ! L'adolescent doit rêver, ou délirer.

— Ah tiens ! Bonjour Maxime, dit l'homme en souriant. Je suis heureux de te voir reprendre tes sens. Je suis le docteur Sansregret. Tu as été admis à l'hôpital hier soir, après que tu t'es évanoui à la fête foraine. On est maintenant samedi matin, et il est 11 heures 06.

Maxime est stupéfait. Mais c'est un nouveau complot, cette histoire ! Qu'ont-ils donc fait de lui, après sa chute à la fête foraine ?

Craignant le pire, il vérifie l'état de ses membres, à la recherche de l'empreinte funeste. Ils sont bigrement ankylosés, mais tout de même intacts.

Ils l'ont épargné, lui aussi. Mais contrairement à Roxane Fortin, il ne porte pas la marque.

– Peux-tu me raconter ce qui t'est arrivé avant ta chute ? questionne le médecin. As-tu ressenti certains malaises ?

Quel hypocrite, ce salaud ! Il a envie de hurler à tue-tête, de lui sauter à la gorge, mais son instinct lui conseille de rester cloué à son lit. Ses membres engourdis ne lui seraient d'aucun secours de toute façon.

– Je crois que vous êtes en meilleure position que moi pour savoir ce qui s'est passé, *docteur*, se contente-t-il de répondre amèrement.

Sa rage est sur le point d'exploser.

– Qu'est-ce que vous avez fait de moi, vous et votre sale bande de rats ? Pourquoi ne pas m'avoir tué comme les autres participants ? Vous voulez jouer avec votre marionnette un peu plus longtemps ?

Le docteur Sansregret écarquille les yeux, l'air surpris.

– Je te demande pardon ?

Vraiment, il mériterait un Oscar pour son talent de comédien. Suivi d'une ovation, bien sûr.

Maxime scrute la pièce. Tout ce qu'il voit, ce sont des murs blancs et ce médecin fou qui griffonne des notes dans son dossier. Il est soudainement pris de panique ; il a la sensation de se trouver dans un asile.

– La sécurité ! J'exige de voir la sécurité, qu'on me sorte de cet asile ! vocifère-t-il. Je ne vous fais pas confiance du tout !

Oubliant ses muscles endoloris, il se lève, bien décidé à quitter la pièce. Le docteur Sansregret s'avance vers la porte d'un pas discret, mais combien symbolique. C'est tout ce qu'il faut pour le stopper.

– Voyons, personne ici ne te veut du mal. Assieds-toi, je t'en prie. Tes parents se reposent de l'autre côté, ils ont passé la nuit à ton chevet. Tu veux que je les fasse entrer ?

Ses parents sont là. Enfin des alliés pour l'aider à faire arrêter ce criminel.

Sans attendre la réponse de son patient, le médecin va chercher ses parents qui attendent dans le couloir. Sa mère court le cajoler.

– Oh ! Maxime, tu nous as fait peur. Mais qu'est-ce qui s'est passé, hier soir ?

Il pointe le docteur Sansregret.

– Demandez à ce toqué, il vous répondra mieux que moi.

– Voyons, s'indigne son père, veux-tu bien me dire ce qui te prend de parler comme ça ?

– Il me prend que cet homme n'est pas un médecin, c'est un dangereux meurtrier. Avec ses complices, il s'amuse à tuer les innocents qui sont inscrits à leur jeu d'enquête. J'ignore pourquoi il m'a pas tué, d'ailleurs.

Embarrassés par le comportement impulsif de leur fils, les parents de Maxime offrent aussitôt des excuses au médecin. Le pauvre incompris s'indigne de leur attitude.

– Laissez-moi vous expliquer, je ne délire pas. Je dois le dénoncer, lui et sa bande de psychopathes de l'agence Mirage. Promettez-moi juste d'écouter ce que j'ai à dire, sans m'interrompre. C'est crucial. Ensuite, vous ferez ce que vous voudrez de mon histoire.

Les deux parents se regardent, visiblement ahuris par les allégations de leur fils. Sur un ton neutre, le docteur Sansregret intervient :

– Le pauvre a des choses à dire. Laissez-le simplement s'exprimer.

Le jeune homme craint que cet élan de compassion soit le prélude à un attentat contre ses parents ou contre lui-même. Il retourne s'asseoir sur le bord du lit et entame son récit :

– Il y a deux semaines, je me suis inscrit à un jeu d'enquête, organisé par l'agence Mirage. Ce monsieur, dit-il en désignant le docteur Sansregret, s'est lui-même occupé, avec son collègue, de m'expliquer les règles du jeu. À l'aide d'une photo et d'un nom, il fallait retrouver un participant et l'éliminer avec un tampon encreur. Le gagnant allait recevoir 10 000 $ en argent. Quel bel appât, hein ?

Ses parents se contentent de hocher la tête.

– Ah ! le concept du jeu est très intéressant, ça oui ! Sauf qu'il y a un petit hic : le tampon est empoisonné. Félix St-Arnaud et Xavier

Fauteux, qu'on a retrouvés morts, partici-
paient eux aussi au jeu d'enquête. La marque
mystérieuse qu'ils portaient, c'est celle du
tampon encreur empoisonné ! Je vous le jure,
les membres de l'agence Mirage sont des assassins ! Cet homme est un meurtrier ! s'écrie-t-il
en montrant de nouveau le docteur Sansregret,
qui reste flegmatique malgré les accusations.

— Maxime, tu ne penses pas…

— Papa, interrompt-il, laisse-moi finir.
Dernièrement, tous mes comportements
étranges, ma nervosité, mon isolement, mes
secrets, viennent de cette histoire. Ces
hommes veulent ma peau. Partout où je vais,
ils m'observent, m'épient. Pour m'obliger à
garder le silence. Pour me terroriser toujours
plus. Pour m'attaquer ! Mais trop, c'est trop.
Je suis pas un pantin. Si vous voulez savoir ce
qui m'est arrivé hier soir, demandez-le à ce
désaxé, il vous dira ce qu'ils ont fait de moi. Il
vous dira que ses collègues m'espionnaient à la
fête foraine. Moi, tout ce que je sais, c'est que
je me suis évanoui, et que je me suis réveillé
dans cet hôpital ! Demandez-lui, il vous dira
aussi comment il a empoisonné ses victimes !

— Bon, là, je crois que tu dépasses vraiment les bornes, s'écrie son père. Accuser le
médecin d'être un assassin, quand même !

Il s'attendait à cette réaction de leur part.

— Ça vous prend des preuves pour me
croire ? C'est ça que vous voulez ? Eh bien ! je
vais vous en donner, des preuves !

Il ouvre la porte de la garde-robe pour y prendre son manteau. Il plonge la main à l'intérieur de la poche droite, à la recherche du tampon encreur, de la photo de Maryse Picard, de la carte professionnelle de l'agence, de l'affiche du jeu, de n'importe quoi.

Vide.

Il fouille la poche gauche.

Rien.

– Ils m'ont tout volé, soupire-t-il, au bord du désespoir. Le tampon, leur carte avec le logo, le même qu'on a retrouvé sur les victimes, tout. Après m'avoir kidnappé à la fête foraine, ils m'ont complètement dépouillé.

Comment confirmer les mésaventures auxquelles il survit depuis deux semaines ? Il reste peut-être une solution : contacter sa première cible, Alexia Dumouchel… si elle est toujours en vie.

Il faut lui téléphoner, c'est son dernier espoir.

Il s'empare de l'appareil, contacte la téléphoniste et lui demande de retracer le numéro de la famille Dumouchel résidant rue des Rossignols. Il retient l'information et compose le numéro. En entendant la sonnerie dans l'appareil, il ne songe qu'à raccrocher. Trop tard, une voix masculine répond.

– Bonjour ! Est-ce que je… euh… je pourrais parler à Alexia ?

Un bref mais trop lourd silence provoque un grave malaise.

– Alexia ? Elle n'est pas ici.

Ouf ! Elle est seulement absente. Bien vivante. Maxime ne l'a pas tuée. L'espoir renaît. Dès son retour, elle pourra affirmer à tous les incrédules que les organisateurs du jeu d'enquête sont des meurtriers.

– Bon, elle n'est pas là. Est-ce que vous l'attendez bientôt ?

Un nouveau moment de silence.

– J'ose espérer, avance l'homme d'une voix émue. Elle n'est pas rentrée à la maison depuis le dimanche 25 avril.

Les mots *dimanche 25 avril* résonnent comme un coup de tonnerre. C'était la toute première journée du jeu d'enquête. La journée où il a éliminé Alexia. Il s'imagine le coup monté : il pose le tampon encreur sur la peau de sa victime, repart triomphant, pendant que les hommes de l'agence, qui ont espionné la scène, enlèvent la participante pour en faire on ne sait quoi. Et c'est Maxime Bilodeau qui passe pour le meurtrier. De nouveau, le souffle lui manque et son estomac fait des siennes.

– Oh ! monsieur, je suis… euh… vraiment désolé. Je… j'ignorais pour Alexia. Sincèrement désolé.

Il raccroche le combiné. Sans même s'en douter, le père d'Alexia vient de parler au meurtrier de sa fille.

Voilà, il a perdu. Il n'existe plus aucune preuve de l'existence du jeu. Même s'il

133

s'évertue à accuser le docteur Sansregret, ce dernier reste impassible.

– Monsieur et madame Bilodeau, est-ce que vous pourriez venir avec moi dans le corridor ? Maxime, tu nous excuses un instant ?

Impuissant, il suit du regard ses parents qui quittent la pièce. Juste avant de traverser le chambranle de la porte, le médecin lui adresse un sourire.

Clac ! la porte se referme.

Ce geste provoque le jeune homme. Si seulement il pouvait découvrir ce que ce diable incarné est encore en train de tramer.

En douce, il va se coller l'oreille contre la porte. Il saisit au vol quelques paroles qui l'estomaquent : *hallucinations*, *paranoïa*, *invente*, *consultation*, *psychiatre*…

Au mot *psychiatre*, un puissant vertige le frappe. De magnitude plus forte qu'un tremblement de terre.

Ce meurtrier tente de faire croire à ses parents que leur pauvre fils est mûr pour l'asile ! Quel endroit idéal où faire pourrir un participant trop bavard ! Ce salaud ne s'en tirera pas comme ça ! Maxime n'est pas fou. Ce sont eux, les fous. Ses parents ne doivent pas accepter ce diagnostic.

Il regagne son lit. Son instinct de survie hurle en lui. Lorsque sa famille regagne la chambre, son idée est faite. N'importe quoi pour éviter un séjour à l'asile.

– J'ai une confession à faire. J'ai tout inventé. Il n'y a jamais eu de jeu d'enquête, ni de bandits à mes trousses, ni de tampon empoisonné. Parce que je voulais mettre un peu de piquant dans ma vie, j'ai décidé de m'inventer tout ce scénario. J'avoue que je suis allé trop loin.

La déclaration est reçue avec perplexité. Tous ces détails livrés avec autant d'émotions un peu plus tôt pourraient-ils vraiment jaillir de son imagination ?

Le docteur Sansregret s'approche doucement de son patient.

– Mon pauvre, tu me sembles encore en état de choc. Tu brouilles les événements. Quelques jours de repos te seront nécessaires afin de clarifier tes souvenirs.

À son tour, Maxime reprend confiance en ses moyens. L'ultime stratagème de l'agence Mirage pour se débarrasser d'un témoin gênant ne réussira pas.

– Non, j'ai toute ma raison. Je suis parfaitement sain d'esprit. J'ai inventé cette histoire de toutes pièces, insiste-t-il.

– Tu en es bien certain ? demande sa mère. S'il y a un problème, tu peux nous faire confiance. Le docteur Sansregret est là pour t'aider.

– J'ai pas besoin d'aide. J'ai pas de problème. Je suis pas malade. La blague a fait son temps ; je me suis bien diverti. Elle est finie maintenant, et j'aimerais juste sortir de

cette chambre de malheur pour aller me reposer en paix à la maison, est-ce que c'est trop
demander ?

— Très bien, déclare le médecin. Si c'est
ton désir. Mais je tiens quand même à faire un
suivi avec toi pendant quelques semaines,
pour m'assurer que des malaises comme celui
éprouvé hier soir ne se reproduiront plus. Ça
pourrait peut-être s'aggraver.

— Non, merci, *docteur*. Je vais très bien.

— On se reverra, Maxime, dit le médecin,
insistant.

Vaincu, le patient retire ses vêtements de la
garde-robe et va rapidement s'habiller dans la
salle de bain. Le médecin entraîne de nouveau
ses parents dans le corridor. Il entend les mur-
mures de leur conversation qui s'amplifient, et
ce, de plus en plus fort. Ce sont maintenant
de vifs éclats de voix, mais toujours aussi in-
distincts. Il pose les mains sur ses oreilles pour
atténuer la cacophonie. Il court jusqu'à la
porte, s'apprête à leur hurler de baisser le ton,
lorsque le calme revient.

Il est maintenant prêt à franchir la porte.
Avec un peu de chance, l'oubli l'attendra de
l'autre côté.

Épilogue

Le reflet embué

*J*E VOUS PRIE *de vous éloigner. Je suis médecin.*

*Frayant son chemin parmi les badauds,
l'homme chauve de l'agence Mirage se penche
sur Maxime pour vérifier son pouls.*

— *Il s'est évanoui, annonce-t-il pour calmer
la foule qui commence à se faire dense.*

*Il prend son téléphone cellulaire, demande
une ambulance, qui arrive étonnement vite sur
les lieux.*

*On place le jeune homme sur une civière,
qu'on monte en deux temps, trois mouvements
dans l'ambulance. Le médecin prend place à ses
côtés dans le véhicule.*

Les portes de l'ambulance se referment.

Maxime referme la portière de la voiture
familiale, qui se met aussitôt en route. À
l'avant, ses parents s'enferment dans un

lourd silence qui veut tout dire : leur fils les a déçus.

N'ayant pas le courage de les réconforter, il ne pense qu'à une bonne douche chaude. Rendu à la maison, il accélère le pas vers la salle de bain. D'un trait, il retire sa chemise.

D'un trait, le docteur Sansregret enfile un sarrau à l'intérieur de l'ambulance. Son assistant l'informe :

— J'étais au chevet d'Alexia Dumouchel, ce soir. Elle s'est réveillée de son coma quelques instants, mais une minute plus tard, elle était morte. J'ai consigné par écrit ses moindres réactions.

Le médecin semble l'écouter distraitement. Sans commenter, il ordonne :

— Donnez de la morphine à ce garçon.

L'assistant tire un rideau pour atteindre l'analgésique demandé.

Maxime referme le rideau de la douche. Il se met à tousser pour soulager sa gorge irritée. Il actionne le jet et ferme les yeux au contact de l'eau chaude qui coule sur ses membres endoloris. De plus en plus, il les sent se contracter avec douleur. Il se frotte, frotte encore plus vigoureusement, comme si le savon pouvait réussir à purger toute l'angoisse qu'il a connue. Mais c'est inutile, il s'en rend bien compte.

Jamais il n'oubliera. Jamais il n'arrivera à se faire accroire qu'il a tout inventé.

Il verse une généreuse portion de shampoing dans sa main.

Le docteur Sansregret déverse le contenu d'une petite fiole sur une étroite plaquette rembourrée et teintée, qui absorbe le liquide. Il sort de la poche de son sarrau un tampon encreur du jeu d'enquête, pareil à celui remis à tous les participants. Inoffensif. Jusqu'à ce qu'il l'appose contre la plaquette.

Le deuxième ambulancier montre des signes d'inquiétude.

— Cesse de te ronger les sangs comme ça, prétend le médecin. Il n'y a rien à craindre. À cause de notre appel anonyme, les policiers orientent maintenant leur enquête vers la recherche de ce mystérieux jeu d'enquête. Mais comme nous avons tout effacé derrière nous, tu sais très bien qu'ils n'ont aucune chance de nous retracer. Et pendant qu'ils sont occupés à cette tâche, on s'assure de détourner les soupçons de nos expérimentations.

— Oui, mais les participants, eux, peut-être que...

— Ils ne représentent plus un danger, fais-moi confiance. Je me suis chargé personnellement de chaque cas. Ils ne parleront pas.

Bien déterminé à poursuivre les procédures entamées, le médecin se tourne vers l'autre ambulancier.

— Aseptise-lui le dos, ordonne-t-il en montrant Maxime.

L'assistant s'exécute. Rapidement, il défait le patient des courroies qui le retiennent à la civière, puis le retourne sur le ventre. Il agrippe ensuite un linge derrière le rideau.

Maxime s'étire le bras derrière le rideau de la douche pour agripper une débarbouillette sur l'étagère, à côté des serviettes. Il la mouille sous le jet pour ensuite se l'étendre sur le visage. Il se met à tousser frénétiquement. Il sent ses poumons se resserrer comme dans un étau. C'est sûrement l'eau bouillante. Il s'empresse alors de fermer l'eau. Il tire le rideau de la douche, empoigne une serviette et commence à essuyer péniblement son corps.

L'assistant essuie le dos de Maxime.

– Il est prêt. Vous pouvez procéder.

Le docteur Sansregret enfile une paire de gants en caoutchouc avant de prendre le tampon encreur empoisonné dans ses mains. Il l'élève au niveau de ses yeux, comme pour le vénérer.

– J'espère que cette fois, nous aurons enfin réussi à concocter un poison qui rongera le participant à petit feu, et surtout, qui ne laissera aucune trace qui permette de déceler le moindre poison dans son sang. Imaginez seulement le pouvoir que nous procurera ce petit miracle !

L'ambulancier, toujours incertain du projet monstrueux, souhaiterait stopper le médecin.

– Nos expérimentations ont déjà coûté la vie à trois personnes innocentes, et en ont rendu une autre amnésique. Docteur, je souhaite réellement que Maxime Bilodeau soit le dernier de nos cobayes. Êtes-vous bien certain cette fois que le dosage est le bon ?

– La seule chose qui soit sûre, c'est l'incertitude elle-même.

Une ombre de démence éclaire à ce moment les yeux du médecin.

Maxime scrute longuement dans le miroir embué ses yeux rougis par l'émotion.

Son cauchemar est-il enfin terminé ? Les hommes de l'agence ont-ils eu ce qu'ils voulaient ? Dieu sait ce qu'ils ont fait de lui, entre le moment où il s'est évanoui à la fête foraine et celui où il s'est réveillé à l'hôpital.

Quoi qu'il en soit, Maxime se résout à accepter son destin : il reste impuissant face à ces hommes machiavéliques. La meilleure stratégie consiste donc à réduire autant que possible leur emprise psychologique sur lui, pour retrouver peu à peu sa vie d'adolescent. Toute sa jeunesse s'étale encore devant lui, il ne faudrait surtout pas la gaspiller. Et, entre toutes choses, il doit reconquérir une fille à qui il tient sincèrement.

Il a chaud, il suffoque. Il s'empresse d'ouvrir la fenêtre. La brise de fin de printemps dissipe graduellement la buée sur le miroir. Pour se convaincre de son nouveau bonheur, il jette un dernier coup d'œil dans la glace. Soudain, une atroce douleur le scie en deux. Il se retourne, et ses yeux se révulsent. Tout juste avant ce coup fatal, Maxime Bilodeau a aperçu sur son dos une empreinte en forme de *X*...

Table

Collection « Ado »

PAO : Éditions Vents d'Ouest (1993) inc., Gatineau
Impression : Imprimerie Gauvin ltée
Gatineau

Achevé d'imprimer en septembre
deux mille deux

Imprimé au Canada

cd